D0756390

btb

Aus Freude am Lesen

btb

Buch

Wer kennt sie nicht, die berühmteste Insel der Weltliteratur: die »Schatzinsel«. Aber gibt es die legendäre Pirateninsel wirklich? Diese Frage bewegt bis heute Generationen von Lesern und Heerscharen von Schatzsuchern. Doch sie alle haben am falschen Platz gesucht. Davon ist Alex Capus überzeugt. Voller Verve erzählt der Schweizer Autor die Geschichte der »Schatzinsel« und ihres Autors Robert Louis Stevenson neu. Mit der Beigeisterung eines Schatzsuchers und der Kombinationsgabe eines Forschers erkundet Capus Stevensons Leben. Er verknüpft Legende und Wahrheit um die Insel der Piratenschätze, zeigt Stevenson als Abkömmling eines schottischen Clans und als schwerkranken Südsee-Forscher, der geheimnisvolle »Reisen im Licht der Sterne« unternimmt. Und er bietet eine ebenso verblüffende wie einleuchtende Erklärung für die ewigen Misserfolge der Schatzsucher: Der Schatz ist einfach nicht da, wo alle suchten. Er ist ganz woanders – und Stevenson wusste, wo …

Autor

Alex Capus, geboren 1961 in Frankreich, studierte Geschichte und Philosophie in Basel und lebt heute als Schriftsteller in Olten. Bisher veröffentlichte er sieben Bücher, die alle von der Kritik hoch gelobt wurden.

Alex Capus

Reisen im Licht der Sterne

Eine Vermutung

btb

Verlagsgruppe Random House FSC-DEU-0100
Das für dieses Buch verwendete FSC-zertifizierte Papier *Munken Print*
liefert Arctic Paper Munkedals AB, Schweden.

1. Auflage
Genehmigte Taschenbuchausgabe Juli 2007
btb Verlag in der Verlagsgruppe Random House GmbH, München
Copyright © 2005 by Albrecht Knaus Verlag, München
in der Verlagsgruppe Random House GmbH
Umschlaggestaltung: Design Team München
Umschlagfoto: The Bridgeman Art Library / Delaware Art Museum
Satz: Filmsatz Schröter GmbH, München
Druck und Einband: Clausen & Bosse, Leck
KR · Herstellung: BB
Printed in Germany
ISBN 978-3-442-73659-1

www.btb-verlag.de

«Was hängt der hier auf dieser Scheißinsel rum? Ich sage euch: DER sucht hier keine Ostereier. Auf den wartet zu Hause ein Palast und ein Heer von gepuderten Arschkriechern; und wenn er nicht dorthin zurückkehrt, so muss er dafür einen verdammt guten Grund haben. Könnt Ihr mir folgen?»

Captain Davis in Robert Louis Stevensons «The Ebb-Tide», geschrieben 1890, im ersten Jahr auf Samoa.

Vorwort

Mein Vater ist Normanne, genauso wie sein Vater und sein Großvater und dessen Vater auch; allesamt große, starke und schwerblütige Männer, deren Schweigsamkeit nicht auf besonderen Tiefsinn hinweist, sondern nur auf Schweigsamkeit. Den Sommer verbrachte unsere Familie stets auf einem kleinen Gehöft in der Basse Normandie, das in grauer Vorzeit eine angeheiratete Tante geerbt hatte. Es muss am frühen Morgen des 5. Juni 1964 gewesen sein, am zwanzigsten Jahrestag von D-Day, als mein Vater mich auf den Rücksitz seines feuerwehrroten Renault Dauphine verfrachtete, dann seinen Vater auf den Beifahrersitz komplimentierte und uns über kurvige Landstraßen nordwärts zur Küste fuhr; wohin genau, weiß ich nicht. Ich habe vage Erinnerungen an Uniformen und Blasmusik und feierliche Reden. Ich weiß noch, dass ich an jenem Tag zum ersten Mal das Meer sah und dass ich es nicht sonderlich beeindruckend fand; und unvergesslich ist mir, mit welcher Begeisterung Großvater, Vater und ich Seite an Seite über den Strand schlurften, mit den Füßen im Sand scharrten und nach Zeugnissen der alliierten Invasion suchten. Wir fanden Granatringe, Schrapnellsplitter, Gürtelschnallen, Patronen. Projektile, Uniformknöpfe, Schraubenmuttern, Ösen. Brüchiges Leder, Grünspan, rostiges Eisen. Wir steckten alles in unsere Hosentaschen, und ich vermute, dass unsere Wangen glühten – meine vor kindlicher Begeisterung, die meines Vaters vor Verlegenheit über die kindische Schatzgräberei und Großvaters Wangen vor Scham über unsere pietätlose Gier.

Abends nach dem Essen saßen wir nebeneinander in der Küche am offenen Kamin und starrten ins Feuer, hatten die Hände in die Hosentaschen vergraben und fingerten an unseren Granatringen und Schrapnellsplittern umher, die wir, ich weiß nicht, weshalb, vor unseren Frauen, Müttern, Großmüttern verborgen hielten. Die große, gusseiserne Platte, die hinter dem Feuer an der Wand stand, strahlte wohlige Wärme ab – und vielleicht war es an jenem Abend, als Großvater die Rede darauf brachte, dass sich hinter solch gusseisernen Platten zuweilen die kostbarsten Gold- und Silberschätze verbergen. Dass es kein besseres Versteck als dieses geben konnte, leuchtete mir ein; denn welcher Räuber würde es wagen, seine Arme durchs Feuer zu strecken und die heiße Eisenplatte anzufassen?

Seit jenem Abend sind vierzig Jahre und achtunddreißig Tage vergangen. Großvater ist vor bald zwanzig Jahren gestorben, und mein Vater ist ein ganzes Stück älter geworden; ich selbst bin in der Zwischenzeit wohl mehr oder weniger der geworden, welcher mein Vater und mein Großvater einmal waren. Von jenem normannischen Kaminfeuer aber trennt mich in dem Augenblick, da ich dies schreibe, nicht nur die verflossene Zeit, sondern buchstäblich der Planet Erde. Ich sitze am anderen Ende der Welt vor dem «Outrigger Hotel» hoch über Apia, Samoa, schaue nordwärts hinaus auf die unendliche Weite des Südpazifik und ergebe mich dem Gedanken, dass von hier bis zum Nordpol, über gut ein Viertel des Erdumfangs, nicht mehr viel kommt. Jede Menge Wasser, ein bisschen Hawaii und die Beringstraße und dann das Packeis.

Meine Frau Nadja liegt in der Hängematte und liest, meine drei Söhne spielen Fußball. Ich selbst bin hier, um zu beweisen, dass es Robert Louis Stevensons «Schatzinsel» tatsächlich gibt, und zwar ganz woanders, als Heerscharen von Schatzsuchern sie über Generationen gesucht haben – und dass Louis einzig und allein deshalb die letzten fünf Jahre seines Lebens auf Samoa verbrachte.

Und während die Sonne im Meer versinkt, füllt sich mein Herz mit den Empfindungen jenes Abends am Kaminfeuer vor vierzig Jahren: mit der kindlichen Begeisterung des Schatzgräbers, mit der väterlichen Verlegenheit über das eigene kindische Treiben und mit der großväterlichen Scham darüber, dass ich in fremder Leute Angelegenheiten wühle, die seit hundert Jahren tot sind und sich nicht mehr wehren können.

Apia, Samoa, 12. Juli 2004

1 Friedlich vor Anker

Bis auf hundertneunzig Meilen hatte sich die *Equator* am 2. Dezember 1889 ihrem Ziel genähert, dann kam sie nicht mehr voran. Das kleine, kaum siebzig Tonnen schwere Handelsschiff schlingerte an Ort und Stelle in der aufgepeitschten See, Sturmböen stürzten aus allen Richtungen auf die flatternden Segel, und es fiel schwerer Regen bei vierzig Grad Hitze und hundert Prozent Luftfeuchtigkeit. Das war kein Klima für einen lungenkranken Schotten wie Robert Louis Stevenson; hätte er seinen Ärzten gehorcht, wäre er zur Kur in die kalte und trockene Alpenluft der Lungenklinik Davos gefahren, wo er schon zwei Winter verbracht hatte und fast gesund geworden war. Stattdessen saß er im Schneidersitz auf den feuchten Planken unter Deck, rauchte eine Zigarette nach der anderen und schrieb einen Brief an seinen Jugendfreund Sidney Colvin, Kunstprofessor in Cambridge. Er war barfuß und nackt bis auf eine schwarzweiß gestreifte Hose und ein ärmelloses Unterhemd, und um die Hüfte hatte er eine rote Schärpe gebunden. Neben ihm lag in unruhigem Schlaf seine seekranke Frau Fanny und neben ihr in jugendlichem Frieden der einundzwanzigjährige Lloyd Osbourne, Fannys Sohn aus erster Ehe. Das Schiff roch beißend nach fermentierter Kokosnuss, und es wimmelte von Läusen und daumengroßen Kakerlaken.

«Das Ende unserer langen Reise rückt näher. Regen, Windstille, eine Bö, ein Knall – und die Vormarsstange ist weg; Regen, Windstille, eine Bö, und fort ist das Stagsegel; noch mehr Regen, noch mehr Windstille und weitere Böen; eine ungeheuer schwere See die ganze Zeit, und die *Equator* schlingert wie eine Schwalbe im Sturm; unter Deck ist ein einziger großer Raum, der bedeckt ist von nassen Menschenleibern, und der Regen ergießt sich in wahren Sturmfluten aufs leckende Deck. Fanny hält sich sehr tapfer inmitten von fünfzehn Männern. (...) Wenn wir nur für zwei Pence brauchbaren Wind hätten, wären wir schon morgen zum Abendessen in Apia. Aber wir schlingern vor uns hin ohne das leiseste Lüftchen, und dann brennt auch wieder die Sonne über unseren Köpfen, und das Thermometer zeigt 88 Grad ...»

Seit anderthalb Jahren bereiste Stevenson die Südsee, hatte die Marquesas, Tahiti, Hawaii und zuletzt die Gilbert-Inseln besucht, um Reisereportagen für amerikanische Zeitschriften zu schreiben. Er tat dies zur allseitigen Unzufriedenheit: Die Leser der Zeitschriften waren enttäuscht, dass der Autor der «Schatzinsel» ihnen derart langfädige und schulmeisterliche Abhandlungen zumutete; die Verleger waren enttäuscht über den ausbleibenden Verkaufserfolg; und für Louis selbst war die Arbeit eine qualvolle Pflicht, deren Ende er herbeisehnte. Er wollte nach Hause, erst nach London, dann nach Edinburgh. Mit keinem Gedanken dachte er zu der Zeit daran, sich auf Samoa niederzulassen. Und nichts deutete darauf hin, dass er nur sechs Wochen später, im Alter von neununddreißig Jahren, sein gesamtes verfügbares Vermögen in den Kauf eines Stücks undurchdringlichen Dschungels investieren und dort den Rest seines Lebens verbringen würde. Ganz im Gegenteil.

«Ich habe nicht im Sinn, sehr lange auf Samoa zu bleiben. Meine Studien werde ich wohl, soweit sich das voraussagen lässt, auf die jüngste kriegerische Geschichte beschränken. (…) Es ist möglich, wenn auch unwahrscheinlich, dass ich noch rasch einen Besuch auf Fidschi oder Tonga mache, oder sogar beides; aber in mir wächst die Ungeduld, dich wiederzusehen, und ich will spätestens im Juni in England sein. Wir werden, so Gott will, über Sydney, Ceylon, Suez und wahrscheinlich Marseille heimkehren. Einen Tag oder zwei werde ich wohl in Paris Station machen, aber das ist alles noch weit weg; obwohl – es rückt allmählich näher! So nahe, dass ich meine Droschke schon über Endell Street rattern höre. Ich sehe, wie die Tür aufgeht, und fühle, wie ich hinunter springe und die monumentale Treppe hochlaufe und – hosianna! – wieder zu Hause bin.»

Die Flaute hielt weitere drei Tage an. Erst am Morgen des 7. Dezember 1889, am sechsundzwanzigsten Tag auf See, kam Upolu in Sicht, die lange und schmale Hauptinsel Samoas, gebirgig und von dichtem Dschungel überwuchert. Vom Land herüber wehte der Geruch von Kokosnussöl, Holzfeuern, tropischen Blüten und von Brotfrucht, die auf heißen Basaltsteinen gebacken wird. Die Hafenbucht war gesäumt von einer einzigen, mit weißem Korallenkies bedeckten Straße, an der, halb verdeckt durch eine Doppelreihe Kokospalmen, die Hauptstadt Apia lag: einige Dutzend weiß gestrichene Holzhäuser, fast alle von Europäern bewohnt, die meisten von ihnen Deutsche. Das größte Gebäude war der Sitz der «Deutschen Handels- und Plantagen-Gesellschaft für Südsee-Inseln zu Hamburg», das von Apia aus den pazifischen Kokosnuss-Markt beherrschte. Daran reihten sich ein paar Wellblechdächer, dann das deutsche, das englische und das amerikanische Konsulat, gefolgt von der französischen Bruderschaft römisch-katholischer Priester und ein paar Kirchen aus Vulkanstein sowie dem Postamt, an dem ein Schild mit der Aufschrift «Kaiserlich Deutsche Postagentur» hing, und dann fünf oder sechs Läden für Lebensmittel und Haushaltswaren. Nach einer Stadt sah das nicht aus; eher nach einem etwas improvisierten Badeort. Es gab sechs Spelunken und Bars, in denen man Gin, Brandy und Soda sowie deutsches Bier (Flensburger und Pschorrbräu, die Flasche für eine Mark fünfzig in deutschem Geld) bekam; weiter eine Billardhalle und eine Bäckerei sowie zwei Hufschmiede und zwei Baumwollentkörnungsanlagen. Etwas außerhalb der Stadt stand der deutsche Biergarten «Lindenau», dessen Pschorrbräu immer dann angenehm kühl war, wenn das monatliche Postschiff aus San Francisco Eis mitgebracht hatte, und nahebei betrieb der deutsche Kegelklub seine Kegelbahn. Die wichtigste Attraktion von Apia aber war in jenen Jahren das alte Dampfkarussell am Hafen, letztes Überbleibsel einer US-amerikanischen Schaustellertruppe, die sich unter Zurücklassung des Arbeitsgeräts in alle Winde zerstreut hatte, als der Direktor die Löhne nicht mehr zahlen konnte. Ein französischer Barbesitzer übernahm das Karussell zu einem Spottpreis, und von da an stand es jeweils am Wochenende unter Dampf. Die jungen Männer des Städtchens spendierten ihren Mädchen für fünfundzwanzig Pfennig eine Fahrt auf einem wilden Löwen oder einem edlen Ross, und während das Karussell sich drehte, verkündete dessen Orgel endlos, dass das Männerherz ein Bienenhaus sei.

Als die *Equator* in den von Korallenriffs durchzogenen Hafen einfuhr, kamen ihr einige Samoaner in eleganten Auslegerbooten entgegen. Sie sangen zur Begrüßung wehmütig-fröhliche Lieder in ihrer schönen Sprache, die für die deutschen Kolonisten wie Italienisch klang, und stießen im Takt dazu ihre Paddel ins Wasser. Die Männer waren groß und kräftig und hatten feine, gitterartige Tätowierungen von der Hüfte bis zu den Knien; es sah aus, als trügen sie unter ihren Schürzen dunkle Kniehosen. Die Frauen hatten Hibiskusblüten im Haar und waren nur leicht tätowiert mit kleinen Sternen an der Schulter, auf dem Bauch oder an der Wade. Den Auslegerbooten folgte ein europäisches Hafenboot, in dessen Heck ein großer Mann mit Panamahut, leuchtend blauen Augen und weißem Leinenanzug stand. Das war der Amerikaner Harry J. Moors*, der seit vierzehn Jahren in Apia ansässig war und mit allem Handel trieb, was sich irgendwie kaufen und verkaufen ließ. Er besorgte den deutschen Kolonisten australisches Bier, den Franzosen neuseeländischen Hummer, den Briten französischen Rotwein, den

* H. J. Moors (1854–1926) gelangte 1875 als Angestellter der Deutschen Handelsgesellschaft nach Samoa. Sein Enkel Patrick Moors führt heute das Hotel «Betty's» in Apia.

Samoanern Schusswaffen und bunten Baumwollstoff. Er verkaufte Kokosnuss und Ananas in alle Welt und vermittelte Immobilien, Reitpferde, Schiffspassagen und Bankkredite. Harry Moors hatte mehrere Filialen auf anderen Inseln und kannte im Südpazifik alles und jeden. Er zog heimlich seine Fäden in der Kolonialpolitik, schmuggelte Waffen für Aufständische, organisierte Ringkämpfe und Theateraufführungen und sollte der erste Kinobetreiber in Apia werden. Er kannte sämtlichen Tropenklatsch, und natürlich hatte er längst erfahren, dass Stevenson anreisen würde; sein alter Freund Joe Strong, mit dem er in Hawaii viele Nächte durchzecht hatte und der zufällig der Schwiegersohn des weltberühmten Dichters war, hatte ihn brieflich gebeten, sich um die Schwiegereltern während der zwei Wochen, die sie auf Samoa zu verbringen gedachten, ein wenig zu kümmern. Dass aus den zwei Wochen mehrere Jahre werden würden, konnte niemand ahnen. Als Harry Moors' Hafenboot längsseits der *Equator* anlegte, stiegen die Stevensons eilig über die Bordleiter zu ihm hinunter. Nach einer kurzen Begrüßung bat Louis, dass man an Land gehen möge, ohne auf das Gepäck zu warten; denn sie waren fast vier Wochen auf See gewesen und konnten es nicht erwarten, endlich wieder festen Boden unter die Füße zu bekommen. Vorsichtig steuerte Harry Moors das Boot zwischen den stählernen Wracks von vier Kriegsschiffen hindurch, die als bizarre Mahnmale das Hafenbecken säumten. Neun Monate zuvor waren die Schiffe in einer stürmischen Nacht gekentert infolge kolonialistischen Starrsinns und militärischer Unvernunft. Und das kam so:

Seit Mitte des 19. Jahrhunderts hatten sich die Völker Samoas einen blutigen Bruderkrieg geliefert. Dafür brauchten sie Waffen, und diese lieferten ihnen deutsche Handelsleute bereitwillig – im Tausch gegen Grundbesitz, von dem die Samoaner keinen Begriff hatten. Im März 1870 beispielsweise erwarb das Hamburger Handelshaus Godeffroy & Companie auf der Hauptinsel Upolu bei Salefata einskommadrei Quadratkilometer Land samt Kokospalmen und Brotfruchtbäumen und einem kleinen Fluss, der erstklassiges Trinkwasser führte, zum Kaufpreis von einer Snider-Pistole und hundert Schuss Munition – ein umso vorteilhafteres Geschäft, als die Pistole aus der firmeneigenen Waffenschmiede in Belgien stammte. Auf diese und ähnliche Weise erwarb Godeffroy & Companie in wenigen Jahren über hundert Quadratkilometer Land, rund ein Fünftel allen urbaren Bodens auf Upolu. Damit war die Hauptinsel faktisch in deutscher Hand, und die junge Kolonialmacht Deutschland nahm das Inselreich als «Schutzgebiet» in Anspruch. Dagegen wehrten sich sowohl die rivalisierenden samoanischen Chiefs als auch die pazifischen Kolonialmächte USA und Großbritannien. Als Reichskanzler Otto von Bismarck Deutschlands Interessen mittels Entsendung von drei Kriegsschiffen Nachdruck verlieh, schickte auch US-Präsident Grover Cleveland ein Geschwader nach Samoa. So ergab es sich, dass im März 1889, neun Monate vor Ankunft der Stevensons, sechs Kriegsschiffe im Hafen von Apia lagen: die US-amerikanische Dampffregatte *Trenton*, begleitet von der Korvette *Vandalia* und dem Kanonenboot *Nipsic*; auf deutscher Seite die Korvette *Olga* sowie die Kanonenboote *Adler* und *Eber*. Die Welt hielt den Atem an in Erwartung des Funkenschlags, der einen ersten deutsch-amerikanischen Krieg entfachen würde. Mit einigen Tagen Verspätung, am 15. März, traf auch noch die britische Fregatte *Calliope* ein, um für Queen Victoria Präsenz zu markieren. Da der Hafen schon ziemlich voll war, musste die *Calliope* weit draußen bei der Einfahrt ankern – eine Demütigung, die sich bald als segensreich erweisen sollte. Denn nun begab es sich, dass an jenem Nachmittag plötzlich das Gekreisch der Seevögel verstummte, und dass der Himmel sich grün verfärbte und alles Vieh an Land sich im Gebüsch verkroch. Die Kapitäne der sieben Kriegsschiffe beobachteten sorgenvoll, wie das Barometer dramatisch rasch in die nie gesehene Tiefe von 29,11 Inches Quecksiber fiel. Sie erkannten übereinstimmend, dass ein gewaltiger Hurrikan im Anzug war und dass es das einzig Vernünftige gewesen wäre, die Fregatten, Korvetten und Kanonenboote auf offener See in Sicherheit zu bringen. Nun brachte es aber US-Admiral Lewis A. Kimberley nicht über sich, den Hafen zu räumen, solange die Deutschen da waren. Den deutschen oberkommandierenden Kapitän Ernst Fritze seinerseits hinderte sein Schwur auf Kaiser und Vaterland, als Erster die Anker zu lichten. In dieser Lage wäre ein klärendes Gespräch hilfreich, ja lebenswichtig gewesen; aber dazu fehlte beiden Seiten erstens der Wille und zweitens die Fähigkeit. Kapitän Fritze war ein zurückhaltender Mensch, der kaum Englisch sprach und deshalb außerstande war, in nähere Beziehung zum US-Kommandanten zu treten. Der Amerikaner seinerseits war des

Deutschen zwar ebenso wenig mächtig, empfand aber trotzdem Fritzes Unkenntnis des Englischen als persönliche Herablassung – und so blieben alle sechs deutschen und amerikanischen Schiffe schicksalergeben im Hafen und erwarteten den Hurrikan in tödlicher Nähe der Korallenriffs. Gegen Abend wurde es unheimlich still. Die See lag wie flüssiges Blei in der Bucht. Die Eingeborenen zogen ihre Boote an Land; sie waren gewarnt, seit vor vielen Stunden Millionen von Kakerlaken und Ameisen schutzsuchend in ihre Hütten gekrabbelt waren. Der Kommandant der britischen Fregatte hatte in letzter Minute ein Einsehen und floh hinaus aufs offene Meer, wo sein Schiff den Sturm unbeschadet überstehen sollte. Über die Deutschen und Amerikaner aber brach in der folgenden Nacht ein Hurrikan herein, der schreckliche Fluten in den nach Norden offenen Hafen schob. Gewaltige Wellen stürzten auf den Strand nieder, Schaum und Gischt peitschten mehrere hundert Meter landeinwärts über die ächzenden Holzhäuser der Kolonisten hinweg. Die Schiffe stemmten sich in der pechschwarzen Nacht gegen die Wassermassen, ihre Dampfmaschinen arbeiteten mit voller Kraft und kämpften gegen die Wellen, um den mörderischen Zug auf die Ankerketten zu mindern – eine Nacht lang, einen Tag, noch eine Nacht. Längst waren alle Lichter ausgegangen, jede Verständigung zwischen den Schiffen unterbrochen; und auch an Bord war sie nicht mehr möglich, da der Orkan die Befehle der Kommandanten ungehört in die Nacht hinaustrug. Dann drang Wasser in die Maschinenräume und löschte das Feuer unter den Kesseln, die Ankerketten rissen, die

Schiffe schlugen gegeneinander und gegen das Riff, Schiffsschrauben wurden verbogen und Steuerruder abgerissen, und am Morgen des dritten Sturmtages waren vier Schiffe am Riff zerborsten und zwei an den Strand geworfen. Einundfünzig amerikanische und hundertfünfzig deutsche Matrosen kamen ums Leben. Die zwei gestrandeten Schiffe – die deutsche *Olga* und die amerikanische *Nipsic* – wurden zwei Wochen später zurück ins Wasser geschleppt und kamen wieder flott. Die vier anderen blieben liegen und sollten noch Jahrzehnte später das Hafenbecken versperren.* In Deutschland und den USA war der Schrecken über die Katastrophe derart groß, dass alle Kriegspläne beigelegt und die Inseln Samoas zur neutralen Zone erklärt wurden.

An jenem 7. Dezember 1889 war das ganze Städtchen auf den Beinen, um die *Equator* und die Neuankömmlinge zu begrüßen. Louis, Lloyd und Fanny machten einen ersten Spaziergang durch den Ort und ließen sich begutachten vom bunten menschlichen Strandgut, das die Straße und die Bars bevölkerte. Etwa dreihundert Weiße lebten in Samoa. Einige Dutzend waren Kaufleute im Dienst der Deutschen Gesellschaft; die erkannte man an ihren tadellos weißen Anzügen, den glatt rasierten Wangen und den sorgfältig gewienerten Schnurrbärten. Einen schar-

---

* Die *Nipsic* diente der US-Navy noch zwanzig Jahre lang im Hafen von Puget Sound (Washington) fest vertäut und überdacht als Gefängnisschiff. 1913 verkaufte die Navy das Schiff an einen Privatunternehmer, der sie zum Schleppkahn umbaute. Die *Olga* kehrte zurück in deutsche Gewässer, diente als Artillerieschulschiff in der Nord- und Ostsee und wurde 1908 abgewrackt. Die

fen Gegensatz zu ihnen bildeten die meisten anderen An-
siedler, die unrasiert waren, sich so bequem als möglich
in verschossene Schlafanzüge kleideten und irgendwie ein
Auskommen fanden als Gastwirte, kleine Pflanzer oder
Händler, die bei den Eingeborenen Kokosnüsse kauften
und sie an die Deutsche Gesellschaft weiterverkauften.
Wie in jedem Südseehafen schließlich gab es auch in Apia
ein paar Dutzend *Beachcombers*: desertierte Matrosen, kon-
kursite Händler, gescheiterte Künstler, entflohene Häft-
linge und verkrachte Aristokraten aus aller Herren Länder, die hier gestrandet waren und ihre Tage und Nächte
unter selbstgebastelten Palmenblattdächern verbrachten,
sich von den wilden Früchten des Dschungels nährten
und gelegentlich ein paar Stunden auf einer Plantage arbeiteten, wenn anderswie durchaus kein Schnaps zu beschaffen war.

Unter all diesen Menschen stand unauffällig ein Mann
in einem vernünftig ungepflegten schwarzen Anzug, den
es zu beachten gilt: der presbyterianische Missionar William Edward Clarke. Noch hielt er sich im Hintergrund,
aber binnen dreier Wochen sollte er zu Louis' bestem
Freund auf Erden werden. William Clarke war von der
London Missionary Society beauftragt, Kirchen und Schulen für die Samoaner zu errichten und nebenbei für das
Seelenheil der europäischen Bevölkerung zu sorgen. Er

Adler liegt bis auf den heutigen Tag im Hafen von Apia. Noch
1971 ragte ihr Gerippe schwarz in den Himmel empor, dann
wurde sie bei der großen Hafenaufschüttung mit Sand und Vul-
kangestein bedeckt. Sie ruht unter dem großen Parkfeld östlich
der Zentralbank von Samoa.

war erst fünfunddreißig Jahre alt, aber sein grau melierter Bart, der ihm spitz auf der Brust auslief, ließ ihn viel älter erscheinen. Vor sieben Jahren war er in Apia an Land gegangen, zusammen mit seiner jungen Gattin Ellen, die er drei Wochen vor der Abreise im heimatlichen St. Columb, Cornwall, geheiratet hatte. Clarke hatte sich rasch in Samoa zu Hause gefühlt, nicht aber seine Ellen. Sie litt unter dem mörderischen Tropenklima, vermisste Familie und Freunde, entbehrte die Annehmlichkeiten britischer Zivilisation. Nach nur zwei Jahren quittierte er den Dienst und kehrte mit seiner Gattin nach Cornwall zurück. Schon bald aber zog es ihn unwiderstehlich zurück nach Samoa. Warum, weiß man nicht. Sei es, dass er die sinnenfeindliche Förmlichkeit seiner Heimat nicht mehr ertrug oder dass ihn eine Idee, ein Ziel, ein Plan rief – jedenfalls gingen William und Ellen Clarke schon ein Jahr später, am 17. Juli 1887, wieder in Apia an Land.

Clarke sollte sich noch viele Jahre später an jene erste Begegnung mit Louis erinnern. «Es kam mir eine kleine Gruppe von drei fremden Europäern entgegen, zwei Männer und eine Frau. Sie trug ein weites Eingeborenenkleid, ein glänzendes Plaidtuch um die Schultern und auf dem Kopf einen Strohhut von den Gilbert-Inseln, der mit einem Kranz kleiner Muscheln geschmückt war. Um den Hals trug sie eine Kette aus scharlachroten Beeren, auf dem Rücken eine Mandoline. Ihr Haar war rabenschwarz, ihr Gesicht sonnengebräunt. An ihren Ohren hingen halbmondförmige, goldene Ohrringe, und ihre nackten Füße steckten in weißen Baumwollschuhen. Im Mittelpunkt der Gruppe stand ein groß gewachsener, hagerer Mann in

Hemdsärmeln, der einen braunen Samtmantel über die Schulter geworfen hatte. Er trug eine weiße Segelmütze und weiße Flanellhosen, die einmal sauber gewesen sein mochten. In seinem Mund steckte eine Zigarette, an seiner Hand baumelte eine Kamera mit Tragriemen. Zu seiner Linken ging ein jüngerer Mann. Dieser trug einen gestreiften Schlafanzug – das ist die gängige Freizeitkleidung der meisten europäischen Handelsleute in der Südsee – sowie einen breitkrempigen Strohhut und eine dunkelblaue Sonnenbrille. In der einen Hand trug er ein Banjo, in der anderen eine Ziehharmonika. Die drei waren offensichtlich gerade von Bord jenes kleinen Schoners gegangen, der jetzt so friedlich vor Anker lag. Mein erster Eindruck war, dass es sich um fahrende Varietékünstler auf dem Weg nach Australien oder den USA handelte, die mangels Geld auf einem billigen Handelsschiff reisten.»

Zu jener Zeit gab es in Apia nur ein Hotel, das «Tivoli», und das war nicht sehr sauber. Harry Moors lud die Stevensons ein, fürs Erste bei ihm zu wohnen. Glaubt man seinen Memoiren, war er auf den ersten Blick von Louis begeistert: «Er war kein schöner Mann, aber seine Erscheinung hatte etwas unwiderstehlich Attraktives. Es war, als ob das Genie, das in ihm steckte, aus seinem Gesicht leuchtete, und ich war hingerissen von seinen lebhaften, neugierigen Augen. Sie waren braun und seltsam leuchtend, und sie schienen einen zu durchdringen wie die Augen eines Hypnotiseurs. Dass es um seine Gesundheit nicht zum Besten stand, sah ich auf den ersten Blick, denn es war ihm ins Gesicht geschrieben. Er kam mir sehr nervös vor, angespannt und leicht erregbar. Als ich ihn an Land brachte, sah er geschwächt aus; aber wir hatten kaum die Straße erreicht – Apia besteht sozusagen nur aus einer Straße – , da begann er schon hin und her zu laufen auf die lebendigste, um nicht zu sagen exzentrischste Weise. Still stehen konnte er nicht. Kaum bei mir zu Hause angekommen, löcherte er mich mit Fragen, ging ruhelos auf und ab und sprach von allen möglichen Themen ohne jeden Zusammenhang. Seine Frau war genauso zappelig, und Lloyd Osbourne kaum weniger. Die lange, einsame Schiffsreise hatte ihnen wohl stark zugesetzt, und sie waren selig, wieder an Land zu sein.»

Am nächsten Tag ging Louis zu Moors, lieh sich von ihm ein Pferd aus und begann pflichtbewusst mit den Recherchen für seine Reportage. Er wartete eine Regenpause zwischen zwei Wolkenbrüchen ab und preschte über die verschlammte Hauptstraße ans östliche Ende der Bucht, um Colonel de Coëtlogon, den englischen Konsul, zur jüngsten kriegerischen Vergangenheit Samoas zu interviewen. Dann galoppierte er zurück zu Moors' Haus, um das Gespräch schriftlich festzuhalten; schwang sich erneut in den Sattel, um mit dem samoanischen Häuptling Mataafa zu reden; eilte zurück an den Schreibtisch und schrieb alles auf; ritt abermals im gestreckten Galopp in den Osten der Stadt, zum deutschen Generalkonsul Becker; und wieder zurück an den Schreibtisch, und dann zum US-Konsul Harold M. Sewall. Eine Woche lang war Louis unermüdlich unterwegs – hin und her, hin und her auf der einzigen Straße.

«Vorgestern wurde ich mitten auf der Straße angehalten und mit einer Buße wegen zu schnellen Reitens belegt. Ich gestehe, dass mich das recht erbittert hat; denn die Ehefrau des Vorsitzenden der Deutschen Gesellschaft hat mich schon zwei Mal beinahe über den Haufen geritten – und dieser Dame sagt anscheinend kein Mensch ein Wort.»

So vergingen die Tage. Auch an Weihnachten war die Lage noch unverändert. Louis vertiefte sich in die Geschichte Samoas, ohne aber für die Insel eine besondere Zuneigung zu fassen; und nichts deutete darauf hin, dass sich die Stevensons schon zwei Wochen später fürs ganze Leben auf Samoa niederlassen würden. Am 29. Dezember schrieb Louis einem Studienfreund, dem Edinburgher Rechtsanwalt Charles Baxter: «Samoa, Apia zumindest, ist längst nicht so schön wie die Marquesas oder Tahiti: Die Landschaft ist viel einförmiger, die Hügel sind sanfter, die Natur zahmer; hinzu kommen die großen deutschen Plantagen mit ihren zahllosen, gleichförmigen Palmenalleen, die andrerseits das Wandern natürlich angenehm machen. Die Samoaner finde ich nicht besonders anziehend, aber höflich, und die Frauen sind sehr hübsch und gut gekleidet. Die Männer sind gut gebaut, groß, schlank und würdevoll. Morgen, Montag – welches Datum das ist, will ich nicht beschwören, aber heute ist der Sonntag zwischen Weihnachten und Silvester – morgen, Montag also, gehe ich mit Mr. Clarke in einem Boot auf Entdeckungsreise die Küste entlang. Wir werden Schulen besichtigen, Tamasese* besuchen und so weiter. Lloyd kommt als Fotograf mit. Hoffentlich ist das Wetter gut. Wir stecken mitten in der Regenzeit, und die Reise wird vier oder fünf Tage dauern. Wenn der Regen ausbleibt, wird mir das eine willkommene Abwechslung sein. Wenn's regnet, wird's scheußlich. Diese Zeilen schreibe ich auf Moors' Balkon. Gerade jetzt kommt eine Brise auf. Die Türen fallen ins Schloss, und die Fensterläden fangen an zu klappern. Ein starker Luftzug streift um den Balkon. Das sieht nicht gut aus für morgen.»

Das ist nun interessant. In jenen Weihnachtstagen haben sich also der Missionar William Clarke und Robert Louis Stevenson gleich derart miteinander befreundet, dass sie zusammen auf Entdeckungsreise gingen. Über dieses Zusammentreffen der beiden Männer wüsste man gern Genaueres – denn in jenen Tagen war es, da Louis beschloss, sich für immer auf Samoa niederzulassen; ein sonderbarer Entschluss, auf den zuvor nichts hingedeutet hatte. Weshalb fand er, der sich in jungen Jahren dem

---

* Tamasese war ein samoanischer Chief von großem Einfluss. Ob er Robert Louis Stevenson zum Jahreswechsel 1889/1890 tatsächlich getroffen hat, ist nicht bekannt. Historisch verbürgt ist, dass Tamasese 1910 an Bord eines deutschen Kokosnussdampfers nach Deutschland reiste – auf Staatsbesuch, wie er meinte. Nach der Landung in Hamburg aber wurde er samt seiner Frau, seinem Sohn und seinen zwei Töchtern sowie acht mitgereisten Mädchen und einigen Kindern im Zoo hinter Gittern einquartiert und sollte das hanseatische Bürgertum mit Tanz, Kampfsport und der Zubereitung des Nationalgetränks Kava unterhalten. Da dies Tamasese nicht standesgemäß schien, lief er

Atheismus zugewandt hatte, ausgerechnet an einem bärtigen Missionar auf Samoa Gefallen? Was waren Anlass und Ziel des Ausflugs, und wie lange dauerte er? Und welcher Art waren die Entdeckungen, die man zu machen hoffte, und was entdeckten die zwei Freunde auf dieser Reise tatsächlich?

Leider hat Missionar Clarke in seinem Jahresbericht an die Londoner Zentrale den Ausflug mit keinem Wort erwähnt. Auch unter Lloyds Fotografien findet sich keine aus jenen Tagen. So bleiben als einzige Quelle Louis' handschriftliche Notizen, denen zufolge die Entdeckungsreise ein paar Dutzend Meilen ostwärts der Nordküste Upolus entlang führte, man tatsächlich Schulen besichtigte und Tamasese besuchte «und so weiter». Nur kurz erwähnt wird dabei eine zweite Reise, die Louis offenbar wenig später ohne Clarke unternahm. Von ihr weiß man einzig, dass sie vorerst in die entgegengesetzte Richtung führte, nach der dreißig Kilometer entfernten Westspitze Upolus. Schwer zu sagen, welches Ziel er ansteuerte. Im Westen der Insel laufen die vulkanischen Bergzüge aus in

auf die Straße, sprang ins erstbeste Auto und rief: «Otto Riedel!» Das war der Name eines Hamburger Kaufmanns, der viele Jahre für die Deutsche Handels- und Plantagen-Gesellschaft auf Samoa gearbeitet hatte. Der unbekannte Automobilist reagierte sehr gescheit, suchte im Telefonbuch Riedels Adresse heraus und fuhr den Südseehäuptling in die Adolphstraße. Auf Riedels Betreiben hin wurde Tamaseses Clan von da an würdiger behandelt. In München besuchte ihn König Ludwig, in Berlin wohnte er einer Parade auf dem Tempelhofer Feld bei und wurde Kaiser Wilhelm II. vorgestellt. (Otto Riedel: «Der Kampf um Deutsch-Samoa». Berlin 1938, S. 218 ff.)

eine freundliche Hügellandschaft, auf der die Deutsche Handelsgesellschaft über viele Quadratkilometer Kokosplantagen angelegt hatte. Viel zu entdecken gab es da nicht. Gut möglich, dass er die Küste Samoas hinter sich ließ und am Westkap Kurs nach Süden nahm und dass er dort die eine oder andere verschwiegene Insel besuchte. Und Tatsache ist, dass Louis unmittelbar nach diesem Ausflug kurz entschlossen sein gesamtes verfügbares Vermögen in den Kauf eines undurchdringlichen Stücks Dschungel investierte.

2 Ein wahrhaft fürstlicher Ort

Spätestens am 20. Januar 1890 war Louis wieder zurück in Apia. An jenem Tag schrieb er seinem schottischen Leibarzt Thomas Bodley Scott einen Brief, der allem widersprach, was er zuvor über Samoa gesagt hatte: «Dieses Klima gefällt mir derart, dass ich beschlossen habe, mich hier niederzulassen. Ich habe sogar dreihundert oder vierhundert Acres Land gekauft; wieviel es genau ist, werde ich erst wissen, wenn alles exakt vermessen ist. Nächsten Sommer werde ich nur kurz nach England zurückkehren, um meine Angelegenheiten zu regeln.»*

Damit, so scheint es, ist das Rätsel gelöst. Das Klima also war's. Es war das angenehme Wetter, das Louis der-

* Im Weiteren schilderte Stevenson dem Arzt, wie er seine kranken Atemwege zu kurieren gedachte. «(...) Sie wären noch länger ohne Nachricht von Ihrem schwänzenden Patienten geblieben, wenn ich Ihnen nicht eine medizinische Entdeckung mitzuteilen hätte. Ich habe nämlich festgestellt, dass ich Erkältungen beinahe sofort loswerde, wenn ich Coca-Extrakt zu mir nehme; zwei Teelöffel täglich, in hartnäckigen Fällen auch drei, über einen Zeitraum von einem bis fünf Tagen, und die Erkältung verschwindet. Es wärmt und lindert auf der Stelle, und wenn es auch großes Unwohlsein verursacht, wird doch ein weiteres Fortschreiten der Krankheit gestoppt. (...) Vielleicht wirkt eine stärkere Dosierung, die Injektion von Kokain zum Beispiel, noch besser.» (Letters, Band 6, S. 353.)

art für Samoa einahm, dass er für immer bleiben wollte. Das ist schon sehr erstaunlich. Denn auch in jenem Januar 1890 war die Regenzeit in Samoa gekennzeichnet durch lähmende Hitze und sintflutartige Regenfälle sowie häufige Sturmwinde und extrem hohe Luftfeuchtigkeit.* Falls Louis die tropische Regenzeit tatsächlich angenehm fand, bewies er damit einen sehr extravaganten Geschmack, den nicht viele teilten. Der britische Vizekonsul etwa schrieb in seinem Jahresbericht 1895: «Das Klima erlaubt es keinem Europäer, regelmäßig im Freien zu arbeiten und bei guter Gesundheit zu bleiben. Manche behaupten es zwar, aber wer das Land kennt, weiß es besser.» Und bei anderen Gelegenheiten bekannte Stevenson freimütig, dass er kein Liebhaber des Monsunregens sei. Genau ein Jahr später – die Regenzeit war wiederum auf ihrem Höhepunkt – schrieb er Colvin: «Meine Frau ist vor Ohrenschmerzen fast wahnsinnig; der Regen fällt in weißen Kristallfäden auf uns nieder und spielt ein Höllenkonzert auf unserem Blechdach, wie ein Tutti von prügelnden Holzpflöcken; der Wind murmelt dumpf über unseren Köpfen, oder er schlägt voll auf uns ein, sodass die großen Bäume über der Pferdekoppel laut aufschreien

* Zufälligerweise wurden genau in jenem Januar 1890 im Auftrag der Seewarte Hamburg die ersten Wetteraufzeichnungen überhaupt vorgenommen, und zwar durch Doktor Bernhard Funk, den Arzt der Deutschen Handelsgesellschaft, der in den folgenden Jahren Louis' Leibarzt werden sollte bis an dessen Totenbett. Doktor Funks handschriftliche Aufzeichnungen liegen im Ministerium für Landwirtschaft und Meteorologie in Apia.

und die Hände ringen und drohend ihre weiten Arme recken. Die Pferde stehen im Stall wie dumme Gegenstände, die Schiffe in der Bucht verschwinden im Regen, und so geht das den ganzen Tag; ich sperre meine Papiere in die eiserne Kiste für den Fall, dass ein Hurrikan kommt und das Haus wegreißt. Wir gehen mit sehr gemischten Gefühlen zu Bett; es ist viel schlimmer als an Bord eines Schiffes, wo man nur eine Gefahr vor sich hat, nämlich jene des Ertrinkens; denn hier regnet es Gebälk und Wellblech auf einen nieder, und man rennt blind im Dunkeln durch einen Wirbelwind und sucht Unterschlupf in einem unfertigen Stall – und meine Frau mit Ohrenschmerzen! Ich habe stets das Geräusch des Windes mehr als alles andere gefürchtet. In meiner Hölle würde immer ein Sturm blasen.»

Ende Januar 1890 war der Handel abgeschlossen. Das Grundstück, das Louis einem erblindeten schottischen Hufschmied abkaufte, lag drei Meilen südlich von Apia, am Fuß der höchsten vulkanischen Gipfel. Es war gänzlich überwachsen von undurchdringlichem Dschungel, und Louis bezahlte dafür viertausend Dollar – mehr hatte er nicht. Wie er die Kosten für den Bau eines Wohnhauses aufbringen sollte, wusste er nicht. Sorgenvoll überschlug er, dass er in diesem Dschungel sehr schnell mindestens zwei oder drei sehr erfolgreiche Bücher würde schreiben müssen.

«Ich habe 314,5 Acres (1,27 Quadratkilometer) wunderschönes Land im Dschungel hinter Apia gekauft; wenn wir erst mal ein Haus darauf gebaut, einen Garten angelegt und Vieh angeschafft haben, wird es uns als Obdach und Futterkrippe dienen. Und wenn Samoa politisch zur Ruhe kommt, könnte es sogar ein wenig Gewinn abwerfen. Das Land reicht von 600 bis 1500 Fuß über Meer, es hat fünf Flüsse, Wasserfälle, Abgründe und Schluchten, fruchtbares Hochland, fünfzig Stück Vieh schon vor Ort (wenn es denn jemand einfangen könnte) und eine wunderbare Aussicht auf Wälder, den Ozean, Berge und die Kriegsschiffe im Hafen: ein wahrhaft fürstlicher Ort.»

Das Anwesen heißt Vailima, was Louis – und nach ihm alle seine Biografen – falsch als «Fünf Flüsse» übersetzte*, und war gesegnet mit wild wachsenden Ananas, Kakao- und Kokosnüssen, Papayas und Avocados. Es gab Mango-, Brotfrucht-, Bananen-, Limonen- und Zitronenbäume. Die Orangen waren hart und ungenießbar, aber ihr Saft war ein sanftes Shampoo, das dem Haar Weichheit und seidenen Glanz verlieh. Ewig blühten betäubend süß Jasmin, Nachthyazinthen, Gardenien und karmesinrote Hibiskushecken, und überall wucherten Süßkartof-

---

* Vai = Wasser, Fluss; Lima = fünf, Hand. Auf Vailima aber gibt es auch bei großzügigster Zählweise keine fünf, sondern höchstens drei Flüsse.
Die wirkliche Bedeutung Vailimas lautet «Wasser in der Hand» und geht zurück auf die Legende von der schönen Jungfer Sina, die vor langer Zeit an dem Ort lebte, der heute Vailima heißt. Sie war so schön, dass auch Tui Fiti, der König von Fidschi, von ihr hörte. Er verwandelte sich in einen Oktopus, schwamm nach Samoa und den Vaisigano-Fluss hinauf, der in der Bucht von Apia ins Meer mündet, bis zu der Stelle, an der die

feln, Melonen und Kürbisse, die irgendwer irgendwann in den Dschungel gepflanzt haben mochte. Louis war begeistert: «Der Urwald ist großartig und wäre ziemlich viel wert, wenn er neben einem Bahnhof wachsen würde.» Er engagierte umgehend mehrere Dutzend Einheimische, den Urwald zu roden. Schnell war eine Lichtung entstanden – die in den folgenden Jahren aber nie eine wesentliche Ausdehnung erfahren sollte, wie auch keine der Stevensonschen Kokos-, Ananas- und Bananenplantagen jemals Gewinn abwarf – und darauf ließ Louis als provisorische Unterkunft eine Baracke aufstellen. Unerwähnt ließ er in seinen Briefen, dass der Ort bei den Samoanern verrufen war als Wirkungsstätte von *Aitu*, Dämonen beiderlei Geschlechts; denn vor langer Zeit hatte angeblich an genau der Stelle, an der Louis sein Haus bauen wollte, ein Kannibalenhäuptling gewohnt, der ein Seil über sein Grundstück gespannt hatte und jeden verspeiste, der es zu überqueren wagte.

Wenn ein Mann sonderbare Entscheidungen trifft, kann es fürs Verständnis hilfreich sein, die Frau zu suchen, die

schöne Sina täglich für sich und ihre Familie Wasser holte. Der Oktopus und das Mädchen entbrannten in Liebe zueinander. Aber leider gewann er seine Menschengestalt nur noch zur Hälfte zurück; vom Kopf bis zur Hüfte war er Mensch, von den Lenden an abwärts Oktopus. So blieb er im Wasser gefangen. Das Mädchen aber besuchte Tui Fiti jeden Tag, und zum Zeichen ihrer Liebe schöpfte sie ihm mit ihren Händen Wasser und gab es ihm zu trinken. (Auskunft von Naumati Vasa, Lehrer für traditionelle Schnitzkunst und Mythologie an der National University of Samoa, Apia) dahinter steckt. Falls im vorliegenden Fall eine Frau den Ausschlag gab, war es ganz gewiss nicht Louis' Gattin Fanny; denn wäre es nach ihr gegangen, so wären die Stevensons nie auf Samoa sesshaft geworden, hätten vielleicht gar nie die Südsee bereist. Zwar war sie eine zigeunerhaft schöne Frau von fünfzig Jahren mit schwarzen Augen und olivbrauner Haut, die gerne barfuß ging und von früh bis spät selbst gedrehte Zigaretten rauchte. Aber sie war doch kein junges Mädchen mehr, sondern Mutter dreier Kinder sowie einmal geschieden und zum zweiten Mal verheiratet. Sie hatte ihre älteste Tochter Belle an einen Trunkenbold verloren und den jüngsten Sohn Hervey an die Schwindsucht, und geblieben war ihr nur Lloyd, der sie treu um den Erdball begleitete. Sie hatte die Träume ihrer Jugend – Schriftstellerin, Tänzerin, Kunstmalerin oder wenigstens eine berühmte Schneiderin zu werden – mangels Begabung begraben müssen, was sie noch immer quälte. Wenn Louis sie scherzhaft «eine bäuerliche Seele» nannte, weil ihr Gemüsegarten prächtig gedieh, so traf sie das ins Mark, und sie machte ihm deswegen über Monate die schrecklichsten Szenen. «Ich hasse es so sehr, eine Bäuerin zu sein», schrieb sie am 5. November 1890 in ihr Tagebuch, «dass es mir geradezu Vergnügen bereitet, wenn die Gartenarbeit misslingt.» In den letzten Jahren war sie um die Hüfte etwas füllig geworden, und ihr dichtes, schwarzes Haar hatte einen silbernen Schimmer erhalten. Wenn Fanny jetzt noch einen Lebenstraum hatte, so war das gewiss nicht ein Stück Dschungel auf einer Südseeinsel, sondern eher ein gut geheizter britischer Salon mit kultivierten Gästen und geruchfreiem Dienstpersonal. Sie litt seit Beginn der Kreuzfahrt unter allerlei eingebildeten und tatsächlichen Beschwerden, sie hatte panische Angst vor Typhus, Cholera und Elefantiasis, war auf die medizinische Fachzeitschrift *The Lancet* abonniert und witterte allenthalben Schädlinge, Parasiten und giftige Insekten. Fanny fürchtete sich vor Kriegen, Naturkatastrophen und Versorgungsengpässen, und was ihr Verhältnis zu den Eingeborenen betraf, so hegte sie ein tiefes Misstrauen gegen die Freundlichkeit tätowierter und arbeitsscheuer Barbaren. Gewiss war es für sie eine Erlösung gewesen, in Apia von Bord zu gehen und ein vorläufiges Ende zu machen mit der pazifischen Kreuzfahrt von insgesamt dreißigtausend Kilometern, auf der sie ständig seekrank gewesen war. Aber das hieß noch lange nicht, dass sie sich für den Rest ihres Lebens auf Samoa niederlassen wollte. Wenn Louis gleich quadratkilometerweise Land kaufte, so geschah das ganz gewiss nicht auf ihren Wunsch. Und wenn sie gewusst hätte, dass er sie in den folgenden Jahren immer wieder allein im Dschungel zurücklassen würde, um auf Entdeckungsreisen zu gehen, so hätte sie den Kauf wohl zu verhindern gewusst. Denn auf Vailima geschahen Dinge, die Fanny namenlosen Schrecken einjagten. An den friedlichsten Tagen konnte es geschehen, dass im Garten ein seltsames, unterirdisches Rumpeln zu hören war. Dann argwöhnte Fanny, dass sich unter ihren Füßen eine Höhle befinde, in der sich mit Messern bewaffnete Schwarze aufhielten – oder noch schlimmer, dass das Rumpeln vulkanischen Ursprungs sei. Und manchmal fühlte sie scharfe, kurze Erdstöße, und gelegentlich stieg ihr schwefliger

Rauch in die Nase, auch wenn weit und breit kein Feuer brannte.*

«Ich bringe hier ein Opfer dar», schrieb sie heimlich ihrer Freundin Fanny Sitwell nach Schottland. «Nur weil ich Blumen im Haar trage und die nette Aussicht rühme, heißt das nicht, dass ich meinen Spaß hätte und kein Opfer bringen würde. Die Samoaner sind pittoreske Menschen, aber ich mag sie nicht. Ich muss meine Zeit so einteilen, dass ich nicht mit ihnen zusammentreffe. Das einzige Dienstpersonal, das ich hier bekomme, besteht aus schwarzen Menschenfresserjungs. Einen großen Teil der Hausarbeit werde ich selbst erledigen müssen, ebenso die meiste Kocherei. Unser Grund und Boden muss genug Nahrung für uns alle hergeben, sonst haben wir nichts zu essen – und auch dafür bin ich zuständig. Ach, ich mag nicht darüber reden; dann bin ich auch noch ständig unpässlich. Ich will mich nicht beklagen. Ich beklage mich nicht, wirklich nicht, und erzähle es nur dir. Ich will, dass Louis und alle Welt glauben, ich sei gern auf Samoa. Ich will nicht, dass die Leute denken, ich würde hier ein Opfer für Louis bringen. In Wahrheit kann ich ihm gar kein Opfer bringen; denn wenn ich etwas für ihn tun kann, ist es mir ein Vergnügen und nicht mehr das Opfer, das es wäre, wenn ich es für jemand anderen täte.»

* Dass Fannys Furcht vor Vulkanen nicht ganz abwegig war, stellte sich zwölf Jahre später heraus, als im Oktober 1902 auf der Nachbarinsel Savaii ein Vulkan ausbrach und einen Großteil der deutschen Plantagen meterhoch mit Lava bedeckte. (Fanny and Robert Louis Stevenson: «Our Samoan Adventure». New York 1955, S. 74f.)

In der ersten Zeit führten Louis, Fanny und Lloyd auf Vailima ein karges Leben. Gelegentliche Besucher berichteten, dass sie ihr Abendessen selbst hätten mitbringen müssen, da die Stevensons nicht viel mehr als eine Avocado untereinander zu teilen gehabt hätten. Das allerdings sollte sich bald gründlich ändern. In den wenigen Jahren, welche die Stevensons auf Samoa verbrachten, gelangte das Anwesen zu einem Reichtum, der auch die wohlhabendsten europäischen Händler und die mächtigsten samoanischen Häuptlinge vor Neid erblassen ließ.

In den folgenden zwei Jahren entstand im Dschungel über Apia ein zweistöckiges Herrenhaus von einer Weitläufigkeit und luxuriösen Ausstattung, wie sie auf Samoa noch nie gesehen worden war. Auf beiden Stockwerken zog sich über die ganze Länge des Hauses eine vier Meter breite Veranda, von der aus man einen herrlichen Ausblick auf die Bucht von Apia hatte. Toilette und Küche hatten fließendes Wasser. Die Halle im Erdgeschoss war zwanzig Meter lang und dreizehn Meter breit. Der Parkettboden und die Kassettendecke bestanden aus lackiertem kalifornischem Redwood (Sequoia Sempervivens), das in den Tropen als Bauholz sehr begehrt ist, weil es resistent ist gegen Pilz- und Termitenbefall. Das Mobiliar war gut britisch aus Mahagoni, Rosenholz und Silber. An den Wänden hingen Ahnenportraits, auf einem Sockel stand eine Marmorbüste von Louis' Großvater Robert Stevenson, dem Erfinder des blinkenden Leuchtturms, sowie eine Gipsgruppe von Rodin. Die große Freitreppe, die von der Halle hinauf zu den fünf Schlafzimmern und zur Bibliothek führte, war flankiert von zwei

burmesischen Buddhas. In einer Ecke stand ein großer, gemauerter Kamin, vermutlich der einzige in diesen Breitengraden; noch nie war in der tropischen Südsee ein vernünftiger Mensch auf die Idee verfallen, eine Heizung einzurichten. Da aber in Louis' schottischer Konzeption von Wohnlichkeit ein Kaminfeuer unverzichtbar war, hatte Harry Moors die Backsteine aus Neuseeland herbeischaffen müssen, was über tausend Dollar kostete. Leider zog der Kamin nie richtig, weshalb sich stets das ganze Haus mit Rauch füllte und der Hausherr das Heizen nach wenigen Versuchen aufgab. Die Backsteine im Kamin haben bis auf den heutigen Tag kaum Ruß angesetzt.

Eine Straße hinauf nach Vailima gab es nicht; sämtliches Baumaterial musste auf Pferderücken vom Hafen heraufgebracht werden. Auch als das Haus fertig gebaut war, riss die Prozession von Kisten und Fässern zu Stevensons Anwesen nicht ab. Louis ließ sich aus Schottland einiges an Familienmobiliar schicken – einen Eichentisch, ledergepolsterte Stühle, ein Chippendale-Buffet und einen Geschirrschrank voller Kristallgläser und chinesischem Porzellan. Am 1. Juli 1891 traf aus Edinburgh auch das alte Klavier seiner Eltern ein; Louis hatte es sich dringend gewünscht, obwohl auf Vailima niemand Klavier spielte. Monat für Monat brachte das Postschiff fassweise französischen Wein und schottischen Whisky, kistenweise Zigarren und Zigaretten, kalifornisches Eis in großen Blöcken sowie Schinken aus Parma und Käse aus dem Emmental und Schokolade aus Belgien. Im Stall standen meist drei oder vier Milchkühe, mehrere Pferde sowie Schweine und Hühner. Da eine derart große Hauswirt-

schaft ohne Hilfe nicht zu betreiben war, stellten Louis und Fanny Personal ein. An Weihnachten 1891 hatte Vailima, nebst den Plantagenarbeitern, fünf samoanische Hausdiener; ein Jahr später waren es zwölf. Harry Moors schätzte, dass der Bau des Hauses an die zwanzigtausend Dollar gekostet hatte, und Louis selbst bezifferte die jährlichen Haushaltskosten auf sechstausendfünfhundert Dollar. Das war Ende des 19. Jahrhunderts sehr viel Geld.

Als dann das Haus nach langen Mühen endlich stand, scheint es aber weniger das Klima oder die reichhaltige Flora und Fauna gewesen zu sein, die Louis' Aufmerksamkeit fesselte, sondern vielmehr ein Berg namens Mount Vaea, der vierhundertfünfundsiebzig Meter über die Küste aufragt und zum Stevensonschen Anwesen gehörte. Über dem Gipfel kreisten Fregattvögel, die Flanken hatten die Form erkalteter Lavaströme und waren dicht bedeckt mit undurchdringlichem Dschungel, aus dessen Blätterdach das Gurren wilder Tauben drang. «Ich denke, dass Stevenson verschiedentlich auf Mount Vaea gestiegen sein muss», berichtete Moors. «Er hat mir mehr als einmal erzählt, was für eine großartige Aussicht man vom Gipfel ‹seines Berges› aus habe.»

Einen Pfad hinauf auf den Gipfel gab es nicht; es muss für Louis eine Qual gewesen sein, sich den steilen Hang hinan durch den Dschungel zu kämpfen. Anzunehmen ist, dass er zwei oder drei Samoaner bei sich hatte, die ihm mit Macheten den Weg bahnten; und mehrmals vertraute er nach dem Abstieg seinem Stiefsohn Lloyd an, dass er dort oben auf dem Gipfel begraben werden möchte. «Obwohl der Berg auf unserem Grundstück lag und

stets deutlich sichtbar vor unserer Nase stand, war Stevenson der Einzige von uns, der jemals dessen steilen Hang hochkletterte. Entgegen seinem ausdrücklichen Wunsch habe ich es nie über mich gebracht, durch den Dschungel einen Pfad hinauf auf den Gipfel zu bahnen. Es wäre natürlich eine scheußlich mühselige Arbeit gewesen; aber was mich wirklich zurückschrecken ließ, war der Gedanke an Louis' Tod. Denn was wäre dieser Pfad anderes gewesen als der Weg zu seinem Grab? Daran zu arbeiten, hätte mich unsäglich abgestoßen. Obwohl ich ihn damit verärgerte, bin ich seinem Wunsch stets ausgewichen. In den späten Nachmittagsstunden, wenn wir anderen vor dem Haus Tennis spielten, ging er auf der Veranda auf und ab, und ich bemerkte, wie oft er stehen blieb, um zum Gipfel hochzuschauen. Am schönsten war der Berg gegen Abend, wenn der Abendstern über ihm schien. Zu dieser Stunde versank Stevenson am längsten in dessen Anblick. Ich versuchte ihn dann immer aus seinen Gedanken zu reißen, sprach ihn an und fragte nach dem Spielstand oder legte das Tennisracket weg, um zu ihm zu laufen und ihn abzulenken.»

Zu gerne würde man wissen, wieso ausgerechnet dieser Berg – der dem unbefangenen Betrachter ein ganz gewöhnlicher Hügel ist, wie es noch viele gibt –, weshalb ausgerechnet dieser Berg Stevensons Aufmerksamkeit dermaßen fesselte. Weshalb Mount Vaea und kein anderer, unter allen Bergen Samoas, Hawaiis und Tahitis? Interessant ist, dass Louis, der sonst wirklich alles zu Papier brachte, was ihn bewegte, und der am liebsten alles gedruckt sah, was er zu Papier brachte – interessant ist also,

dass er Mount Vaea in seinen Briefen, Romanen und Reportagen kaum eines Wortes würdigt. Und weil es kein schriftliches Zeugnis darüber gibt, was den weit gereisten Dichter an jenem unscheinbaren Hügel so sehr faszinierte, kann wohl nichts anderes weiterhelfen als ein Augenschein vor Ort.

Heute führen zwei bequeme Fußwege von Stevensons Haus hinauf auf den Berg; ein steiler, für den man etwa eine halbe Stunde benötigt, und ein sanfterer, gut doppelt so langer. Auf dem Gipfel bietet sich zunächst die erwartete Aussicht: im Norden die Hausdächer Apias, dann der Hafen und die Weite des Ozeans; im Westen bewaldete Hänge und scharfe Bergspitzen; im Süden sieht man einen weiteren Hügelzug, und ein paar hundert Meter östlich von Mount Vaea führt die Straße vorbei, die zu Robert Louis Stevensons Zeit der einzige Trampelpfad an die Südküste war.

Noch weiter in südwestlicher Richtung, knapp hinter dem Horizont, liegt in zweihundertsiebenundsechzig Kilometer Entfernung eine kleine, kegelförmige Insel. Bei gutem Wetter könnte ein Segelboot oder ein kleiner Dampfer sie ohne weiteres in zwei Tagen erreichen; eines der pfeilschnellen samoanischen Auslegerboote müsste die Strecke in weniger als vierundzwanzig Stunden schaffen. Aus der Ferne betrachtet, scheint diese Insel aus nicht mehr als einem ganz gewöhnlichen erloschenen Vulkan zu bestehen, wie es in der Südsee viele gibt. Die Insel erhebt sich fünfhundertsechzig Meter aus dem Meer, ist dreikommavier Quadratkilometer groß und fast unbewohnt; sie heißt heute Tafahi und gehört zum Königreich

Tonga. Ein paar Dutzend Tonganer pflanzen im Nordwesten der Insel Vanille an und betreiben Fischfang für den Eigenbedarf. Auf der südlichen, Samoa abgewandten Seite aber gibt es einen einsamen Strand, der seit den Tagen Robert Louis Stevensons von allerlei Legenden umrankt ist.

Wenige Tage, nachdem er den Kaufvertrag für Vailima unterschrieben hatte, gab Louis einem Reporter des *Sydney Morning Herald* ein Interview.

RLS: «Oh ja, die Inseln sind schön, so schön übrigens, dass ich beschlossen habe, sie zu meiner neuen Heimat zu machen. Es ist zwar nicht einfach, auf den Südseeinseln Land zu kaufen, aber ich habe zum Glück einen passenden Ort auf Samoa gefunden.»

Reporter: «Aber glauben Sie denn, dass die Lage auf Samoa wieder ruhig genug ist, dass man sich dort niederlassen kann?»

RLS: «Wir werden sehen. Ich versuche jetzt mal mein Glück.»

Reporter: «Ich nehme an, dass Sie Ihre Südsee-Erfahrungen im nächsten Roman verarbeiten werden. Wenn wir schon dabei sind: Haben Sie die Schatzinsel je besucht?»

RLS (lächelt vergnügt): «Die Schatzinsel liegt nicht im Pazifik. In der Tat wüsste ich selbst gern, wo sie zu finden ist. Als ich das Buch schrieb, habe ich sehr darauf geachtet, keine Hinweise auf ihre Lage zu geben, damit sie nicht von Schatzsuchern überfallen wird. Wie auch immer, die meisten Leute glauben, sie liege in der Karibik.»

3 Die Geschichte von Fanny und Louis

Als Louis auf Samoa ankam, war sein literarischer Erfolg noch jung; die Anerkennung war spät und eher überraschend gekommen. Am Gymnasium war er ein unauffälliger Schüler gewesen, Ingenieur und Leuchtturmbauer wie sein Vater und dessen Vater* hatte er nicht werden wollen, und das Studium der Juristerei an der Universität Edinburgh hatte er nur widerwillig hinter sich gebracht. Am meisten auf sich aufmerksam gemacht hatte der junge Mann aus wohlhabendem Haus, indem er eine extravagante blaue Samtjacke, schulterlanges Haar und einen schütteren Schnurrbart trug; zudem unternahm er gern nächtelange Streifzüge durch die Hafenkneipen und Bordelle Edinburghs, wobei er große Mengen Bier trank, Haschisch rauchte und ohne Punkt und Komma mit Matrosen, Fuhrknechten und Prostituierten redete. Lange Zeit war er heftig verliebt gewesen in ein

---

* Robert Louis Stevensons Vorfahren waren Pioniere des Leuchtturmbaus. Dessen Großvater Robert (1772–1850) erfand das weiß und rot blitzende Licht, indem er zwei einander gegenüberliegende rote Scheiben mittels Drehmechanismus um die Lichtquelle rotieren ließ. Louis' Vater Thomas (1818–1887) führte Glaslinsen ein, die das Licht scharf gebündelt weit aufs Meer hinaus schickten. Von den insgesmt rund 200 Leuchttürmen, die heute an der rauen Küste Schottlands stehen, wurden 97 durch Ingenieure der Familie Stevenson errichtet.

großes, blondes Mädchen namens Kate Drummond, das abwechselnd in der Fabrik und auf der Straße arbeitete; Louis' Plan, sie mittels Heirat aus der Gosse zu retten, scheiterte am heftigen Widerstand seiner streng calvinistischen Eltern.

Tagsüber widmete er sich der Schriftstellerei. Dabei litt er am Unglück, dass das, was er schrieb, seinen Ansprüchen nie genügte und dass er sich trotzdem weder die Ansprüche noch die Schriftstellerei aus dem Kopf schlagen konnte. Das fing schon damit an, dass Louis auf den Tod nichts einfallen wollte, was aufzuschreiben der Mühe wert gewesen wäre. Hin und wieder gelangen ihm kleine, gestelzte Traktate über die heroische Vergangenheit Schottlands, die manchmal sogar von dieser oder jener akademischen Zeitschrift gedruckt wurden. Einmal verfasste er ein Opernlibretto, von dem nichts erhalten ist als der verheißungsvolle Titel «Die verdorbene Kartoffel». Im Sommer streifte er zwecks Beschaffung literarischer Stoffe durch den Schwarzwald, unternahm eine Kreuzfahrt um die Inneren Hebriden oder fuhr mit dem Kanu über die Flüsse Belgiens und Nordfrankreichs; und nach der Heimkehr schrieb er hübsche, aber ziemlich ichbezogene Reiseberichte. Keine Zeile über Seeräuber, kein Wort von spanischen Golddublonen, keine Silbe über Skelette oder einsame Inseln.

Nichts deutete darauf hin, dass Louis jemals etwas anderes schreiben würde als blutleere, studentische Traktätchen. Aber dann erschien im Januar 1883 sein erster Roman: «Die Schatzinsel». Eine Geschichte für Jungen. Das Buch war das reine Gegenteil von allem, was er bis dahin geschrieben hatte – keine hohle Gelehrsamkeit mehr, kein leeres Wortgeklingel, keine eitle Selbstbetrachtung, sondern eine schlichte, spannende Abenteuergeschichte.

Was war geschehen?

Bis an sein Lebensende hat Louis stets darauf bestanden, dass es für «Die Schatzinsel» kein reales Vorbild gebe, dass also der Roman pure Erfindung sei – und bei anderen Schriftstellern zusammengestohlen. Im vierten Jahr auf Samoa schrieb er in einem koketten Vorwort zu einer Neuauflage: «Gestohlene Äpfel schmecken sprichwörtlich süß. Da bin ich nun bei einem peinlichen Kapitel angelangt. Kein Zweifel, der Papagei gehörte einst Robinson Crusoe. Kein Zweifel, das Skelett ist von Poe übermittelt. Ich mache mir darüber wenig Gedanken, denn es sind Kleinigkeiten und Einzelheiten; und kein Mensch kann das Monopol auf Skelette beanspruchen oder sprechende Vögel für sich beiseite schaffen. Die Palisade, sagt man mir, stammt aus ‹Masterman Ready›. Mag sein, das ist mir egal.»

Soviel Freimütigkeit ist unter Schriftstellern Weißgott nicht üblich und stimmt nachgerade misstrauisch. Wenn er es schon zugab – konnte es dann wirklich stimmen, dass er die Geschichte zusammengeklaut hatte? Hat Louis damit nicht verschleiern wollen, dass es die Schatzinsel tatsächlich gab, und dass er ihre Lage genau zu kennen glaubte?

Bis auf den heutigen Tag streiten sich Sprachwissenschaftler und Biographen über die Frage, ob Stevenson für die Schatzinsel reale Vorbilder heranzog, und wenn ja, welche. Manche tippen auf die Turks & Caicos Islands nördlich von Haiti, andere auf die Isla de la Juventud bei Kuba oder die Isla de Caja de Muertos südlich von Puerto Rico. Andere glauben in Louis' Landschaftsbeschreibungen die Küste Kaliforniens wiederzuerkennen, wieder andere mutmaßen absonderlicherweise, dem Dichter habe die Umgebung seiner Heimatstadt Edinburgh Modell gestanden. Beweise oder auch nur starke Indizien hatte bisher niemand vorzuweisen.

Ebenso wenig zu beweisen ist die romantischste aller Legenden: dass Louis die Idee zur Schatzinselgeschichte Ende 1879 gehabt habe, als er im Hafen von San Francisco einen einbeinigen Matrosen traf, der eben von einer vergeblichen Schatzsuche auf einer einsamen Insel zurückgekehrt war. Leider ist es in hundert Jahren keinem Biografen gelungen, den einbeinigen Matrosen dingfest zu machen oder die Bar zu finden, in der das Gespräch stattgefunden haben soll. Eines aber soll hier erstmals bewiesen werden: dass es das Schatzsucherschiff, auf dem der Einbeinige unterwegs gewesen sein könnte, unbestreitbarerweise gegeben hat und dass Louis dessen Geschichte kannte.

Belegt ist, dass Louis in jenem Spätherbst 1879 tatsächlich im Hafen von San Francisco die Zeit totschlug und den Tag erwartete, an dem Fanny sich scheiden lassen und für ihn frei würde. Denn sie war noch verheiratet mit einem charmanten und liebenswerten, aber rastlosen Soldaten namens Samuel Osbourne. Sechzehn Jahre alt war Fanny gewesen und auf Stelzen über die Felder der elterlichen Farm in Indiana gestakst, als der schöne Leutnant vorbeiritt. Er trug ein spitzes, goldblondes Bärtchen und einen blauen Mantel mit Messingknöpfen, und er war nur drei Jahre älter als sie. Die beiden heirateten sozusagen vom Fleck weg. Anfangs war Fanny glücklich. Samuel Osbourne hatte als Privatsekretär des Gouverneurs von Indiana ein gutes Auskommen, er war blond und hübsch und lachte gern und war ein fürsorglicher Ehemann, und als einige Monate nach der Hochzeit, am 18. September 1858, Tochter Belle zur Welt kam, war er ihr ein zärtlicher Vater. Alles hätte zum Besten gestanden – wenn sich nur nicht alle paar Monate schwärzeste Schwermut über das sonnige Gemüt des schönen Leutnants gelegt hätte. Immer unerwartet und ohne ersichtlichen Anlass, aber regelmäßig wie der Lauf der Jahreszeiten schlug Samuels Frohsinn in Verzweiflung um; dann versuchte er sich zu retten, indem er sämtliche Brücken hinter sich abbrach und alle im Stich ließ, die ihm lieb und teuer waren. Er kündigte seine Stelle als Privatsekretär und zog auf Seiten der Nordstaaten in den Bürgerkrieg. Er suchte sein Glück in den Silberminen Nevadas oder in den Wäldern Kanadas – oder er verschwand im Appartement irgendeiner «lady friend», von denen er viele hatte. Fanny blieb jedesmal zurück und wartete – eine Woche, drei Monate, ein halbes Jahr, finanziell einigermaßen abgesichert immerhin durch Samuels regelmäßige Unterhaltszahlungen. Um sich die Zeit zu verkürzen, wandte sie sich den schönen Künsten zu, fing an zu malen und aquarellieren und tröstete sich wohl mit diesem oder jenem kultivierten Verehrer – aber wenn dann endlich Samuel Osbourne wieder vor der Tür stand, ließ sie ihn immer wieder eintreten. Nach zehn Jahren Ehe gebar Fanny ihren ersten Sohn, Lloyd, und weitere drei Jahre später den engelhaft zarten, ewig kränklichen Hervey. Als im achtzehnten Ehejahr Samuel Osbourne noch immer nicht von seinen lady friends lassen konnte, beschloss Fanny, dass es genug sei. Eine Scheidung aber wäre 1875 für eine ehrbare Farmerstochter aus Indiana eine Katastrophe gewesen. Also kam das Paar überein, dass Fanny eine Bildungsreise nach Europa machen und Malunterricht nehmen würde. Im Juli 1875 ging sie in New York mit den drei Kindern an Bord eines Dampfers nach Antwerpen, und Samuel blieb allein zurück. Kaum aber hatte sie das eheliche Heim verlassen, zog seine aktuelle lady friend ein – scharf beobachtet von der Nachbarin Catherine McGrew, die von Fanny beauftragt worden war, alle sachdienlichen Wahrnehmungen schnellstmöglich nach Europa zu übermitteln. In Antwerpen an Land gegangen, pilgerten Fanny und Belle zur königlichen Kunstakademie, um sich für Malerei einzuschreiben – und mussten feststellen, dass Frauen zum Studium nicht zugelassen waren. Also zogen sie weiter nach dem liberalen Paris, wo Mutter und Tochter Einlass in die Académie Julien fanden. Der achtjährige Lloyd besuchte die Grundschule, freundete sich mit Gleichaltrigen an und lernte rasch Französisch. Der zarte Hervey aber litt sehr unter dem rauen europäischen Herbst. Er hatte heftige Fieberschübe und schlimmen Husten, der ihn nächtelang wach hielt und während derer er zu Fannys Entsetzen immer und immer wieder nach dem Vater rief. Im Oktober diagnostizierte der Kinderarzt Tuberkulose und gab der Mutter wenig Hoffnung. Im März 1876 schickte Fanny telegrafisch nach Sam Osbourne, worauf sich dieser sofort auf den Weg machte. Als er drei Wochen später in Liverpool an Land ging, erwartete ihn ein Telegramm: «Er lebt noch. Fanny.» Sam Osbourne erreichte Paris gerade noch rechtzeitig, um Hervey lebend in die Arme zu schließen. Er starb am 5. April 1876 um fünf Uhr morgens. Die unglücklichen Eltern bestatteten Hervey auf dem Friedhof Père Lachaise. Da sie nur wenig Geld hatten, mussten sie ein Grab der billigsten Kategorie wählen, bei dem Herveys Gebeine nach fünf Jahren ausgehoben und in den Katakomben von Paris aufgeschichtet würden. Fanny und Sam verbrachten einige Wochen gemeinsam in Paris, spazierten viele Stunden der Seine entlang und versuchten vergeblich, einander zu verzeihen. Im Juli fuhr er zurück nach Kalifornien.

Zur ersten Begegnung zwischen Fanny Osbourne und Robert Louis Stevenson kam es wenige Wochen später in einer Künstlerkolonie in Grez bei Fontainebleau, wo Fanny, Belle und Lloyd den Sommer verbrachten. An sonnigen Tagen zog Fanny mit ihrer Staffelei ins Freie, um eine mittelalterliche Bogenbrücke oder die Bauern bei der Arbeit zu malen. Währenddessen angelte Lloyd mit den Dorfbuben im Fluss, und die siebzehnjährige Belle, die jetzt fast halb so alt war wie ihre Mutter und deren südländische Schönheit geerbt hatte, flirtete mit den zahlreichen, mehr oder weniger begabten Nachwuchskünstlern der Kolonie. Es geschah an einem Juliabend kurz nach dem Abendessen, dass ein Neuankömmling die

Gaststube des Hôtel «Chevillon» betrat, und zwar nicht durch die Tür, sondern durchs Fenster. Er trug eine blaue Samtjacke und einen staubigen Rucksack, und er wurde von den Hotelgästen stürmisch begrüßt. Fanny aber war vom extravaganten Auftritt nicht sonderlich begeistert. «Ein hysterischer Bursche», schrieb sie einem Verehrer nach Kalifornien, «ein langer, dürrer Schotte mit einem Gesicht wie Raphael, der sich mit zu viel Kultiviertheit und Ausschweifung die Gesundheit ruiniert hat und jetzt an Auszehrung stirbt. Louis ist der Erbe eines gewaltigen Vermögens, aber er wird nicht lang genug leben, um es anzutreten. Sein Vater und seine Mutter sind Cousins und beide am Rand des Wahnsinns, und der Sohn ist bestimmt darüber hinaus. Ich mag ihn sehr. Er ist der witzigste Mann, den ich je getroffen habe. Ich wünschte nur, er würde nicht ständig in den unerwartetsten Augenblicken in Tränen ausbrechen; das ist so peinlich. Man weiß nicht, was man tun soll – soll man ihm ein Taschentuch anbieten oder zum Fenster hinausschauen? Da mein Taschentuch meistens schwarz vom Kohlestift ist, entscheide ich mich in der Regel für Letzteres.» Als ebenso befremdlich empfand sie Louis' hysterische Lachanfälle, denen er jeweils nur dadurch ein Ende zu setzen vermochte, dass er sich die Finger nach hinten bog, bis es schmerzte.

Auch Louis verliebte sich weder auf den ersten noch auf den zweiten Blick in Fanny. Zu Beginn war es eher die Tochter, auf die er ein Auge geworfen hatte; sie war nur acht Jahre jünger als er, während die Mutter zehn Jahre älter war. Aber auch Belle brachte kein sinnliches

Interesse für ihn auf. «Er ist so ein netter hässlicher Kerl. Für ein Gespräch mit ihm würde ich das interessanteste Buch weglegen.»

Wie viele Monate es dauerte, bis Fanny und Louis zueinander fanden, weiß man nicht. Sicher ist, dass er 1876, 1877 und 1878 die Wintermonate in London und Edinburgh bei den Eltern verbrachte, den Frühling, Sommer und Herbst aber bei Fanny in Paris oder in der Künstlerkolonie von Grez. Dabei kam es mehrmals vor, dass er bettlägerig wurde – mal hatte er hohes Fieber, dann eine Infektion der Netzhaut, die ihm das Augenlicht zu rauben drohte. Stets war Fanny zur Stelle, um Louis in ihrer Wohnung aufzunehmen und mit mütterlicher Fürsorglichkeit zu pflegen, ungeachtet ihres Rufs als verheiratete Frau. Als aber Louis' Dankbarkeit in sinnliche Leidenschaft umschlug, nahm Fanny die jungenhafte Werbung wohl eher amüsiert zur Kenntnis. Und als der Pflegling sie gar zur Scheidung drängte, damit sie mit ihm vor den Traualtar treten könne, gab sie ihm unmissverständlich einen Korb; denn bei aller Liebe zur Bohème wollte Fanny doch nicht ihr Frauenschicksal in die Hände eines überspannten Jünglings mit unsicheren beruflichen Aussichten und reduzierter Lebenserwartung legen. Immerhin ließ sie sich überreden, Louis nach London zu begleiten und die Bekanntschaft seiner Freunde zu machen. «Sie war eine ebenso lebhafte Person wie Stevenson», erinnerte sich Sidney Colvin, «klein und dunkelhäutig, eifrig und anhänglich, von gedrungenem, geschmeidigem Körperbau. Sie hatte kleine, schön geformte Hände und Füße, die immer in Bewegung waren, und um ihren Kopf ringelte sich dichtes schwarzes Haar. In ihrer ganzen Erscheinung erinnerte sie irgendwie an Napoleon mit ihrem energischen Kinn und der hübsch geformten Nasen- und Mundpartie. Ihre Augen waren geheimnisvoll und sinnlich, ihr Blick mal feurig-fröhlich, dann wieder zärtlich und traurig.» Einen besonders nachhaltigen Eindruck hinterließ Fannys Angewohnheit, von früh bis spät Zigaretten zu drehen und zu rauchen, sowie ihre Bereitschaft, sämtliche Damen und Herren der Londoner Gesellschaft in dieser Fingerfertigkeit zu unterrichten. Louis war glücklich und malte sich die Zukunft in den buntesten Farben aus.

Aber dann verlor auf der anderen Seite des Atlantischen Ozeans Samuel Osbourne die Geduld, rief seine Gattin samt Kindern nach Hause und stellte zur Bekräftigung seines Willens die monatlichen Zahlungen ein. Fanny hatte ihren Entscheid rasch gefällt: Sie fuhr am 15. August 1878, nach drei Jahren in Europa und kurz vor Beginn der atlantischen Herbststürme, über Queenstown und New York zurück nach Kalifornien, an die Seite ihres Ehemanns.

Louis blieb in London zurück und war am Boden zerstört.

Seine Freunde wunderten sich, dass er dermaßen in Schwermut versinken konnte wegen einer verheirateten und mit Kindern beladenen, schon ein wenig angegrauten und kurzbeinigen Frau am anderen Ende der Welt; manche mutmaßten, dass ihn weniger leidenschaftliche Liebe quälte als vielmehr das Ehrgefühl des viktorianischen Gentleman, der sich verpflichtet fühlt, der von ihm entehrten Dame die Treue zu halten. Louis fühlte sich sehr unverstanden. Da er weder von den Freunden noch von der Familie Trost zu erwarten hatte, fuhr er nach Südfrankreich, um einsam durch die wilden Täler der Cevennen zu streifen. Einen ganzen Monat lang bereitete er sich gewissenhaft auf die Wanderung vor. Er ließ sich einen selbst entworfenen Schlafsack schneidern, der fast zwei Meter lang und ebenso breit war, mit einer Außenhaut aus grüner, wasserfester Zeltplane und gefüttert mit blau gefärbtem Schaffell, versehen zudem mit einer weiträumigen Kapuze, die sich bei Regen als kleines Zelt aufspannen ließ. Zur Not hätten auch zwei Personen darin Platz gefunden, wie Louis die Nachwelt wissen ließ. Allerdings geriet der Schlafsack dermaßen schwer, dass der junge Dichter ihn nicht weit hätte tragen können; also erstand er für sechzig Francs und ein Glas Cognac eine gutmütige kleine Eselin, «mausgrau und nicht viel größer als ein Hund», taufte sie auf den Namen Modestine, band ihr den Schlafsack auf den Rücken und wanderte hinaus in die Cevennen. Tagsüber hatte er tiefe Gedanken und Empfindungen, die er nachts in der Wärme des Schlafsacks – stets im Hinblick auf literarische Verwertbarkeit – seinem Tagebuch anvertraute. «Ich lag faul da, rauchte und betrachtete die Farben des Himmels, wie wir den leeren Kosmos nennen, tintenschwarz zwischen den Sternen und rotgrau zwischen den Pinien. Selten war ich näher bei mir selbst gewesen und unabhängiger von weltlichen Dingen. Aber während ich in meiner Einsamkeit schwelgte, wurde ich mir eines seltsamen Mangels bewusst: Ich wünschte mir einen Gefährten, der neben mir im Sternenlicht läge, still und reglos, aber greifbar nah. Denn es gibt eine Zweisamkeit, die noch stiller ist als die Einsamkeit und die, richtig verstanden, erst zur vollkommenen Einsamkeit führt. Und die freieste und vollkommenste aller Lebensformen ist ein Leben in freier Natur mit einer geliebten Frau.»

Wenn er auch schmerzlich empfand, dass sein für zwei Personen dimensionierter Schlafsack halb leer blieb, so schickte er der geliebten Frau doch keine Zeile. «An F. schreibe ich nie. Alles, was man einander brieflich sagen kann, haben wir uns gesagt. Wir kennen einander – was sollen wir uns weiter miteinander bekannt machen? So sehr kann ich mich gar nicht verändern, dass sie nicht stets sofort Bescheid wüsste und jeden meiner Gedanken lesen könnte.» Nach zwölftägiger Wanderung über hundertzwanzig Meilen war das Tagebuch vollgeschrieben und Modestine mit ihren Kräften am Ende. Louis verkaufte sie mit kleinem Gewinn und kehrte zurück nach London. In den folgenden Monaten bewarb er sich bei der Londoner «Times» als Reporter und wurde abgelehnt. Er versuchte sich als Theaterautor und brachte nichts Brauchbares zustande. Er schrieb einen Essay «Über die Ehe», der mangels empirischer Erfahrung sehr akademisch geriet. Anfang August 1879 aber, genau ein Jahr nach Fannys Abreise, traf ein Telegramm bei Louis ein. Fanny lebte wieder mit Samuel Osbourne unter einem Dach, und zwar in Monterey, der alten Hauptstadt Spanisch-Kaliforniens. Und sie war krank und unglücklich.

Louis nahm die Nachricht – ob zu Recht oder nicht, wird niemand je wissen – als Hilferuf und brach sofort auf. Da er die Eltern, welche die außereheliche Liaison aufs Schärfste verurteilten, nicht um Reisegeld angehen konnte, buchte er eine Kabine zweiter Klasse im Zwischendeck eines billigen Auswandererschiffs. Die Überfahrt von Glasgow nach New York an Bord der *Vedonia* dauerte zehn stürmische Tage. Die meisten Passagiere waren Schotten, Iren und Skandinavier. Durch die dünnen Kabinenwände konnte Louis das Klappern ihres Blechgeschirrs hören, das Weinen der verängstigten Kinder und das Klatschen der Ohrfeigen, die sie von ihren seekranken Eltern bekamen. «Als ich übers Deck ging und meine Reisegefährten betrachtete, verstand ich erstmals das Wesen der Auswanderung. Gemeinhin stellt man sich unter einem Emigranten gern einen jungen Mann vor, der ohne Hilfe und gegen alle Widerstände sich einen Weg ins Leben erkämpft; eine hübsche Geschichte von Ehrgeiz, überwundenen Schwierigkeiten und letztendlichem Erfolg. Meine Reisegefährten aber gaben ein wesentlich prosaischeres Bild ab. Wenige waren unter dreißig, viele waren verheiratet und hatten ganze Familien im Schlepptau. Manche waren schon nicht mehr die Jüngsten, die meisten stille, ordentliche, gehorsame Menschen – Familienmenschen, die irgendein Unglück gebrochen hatte, oder angejahrte Jünglinge, die keinen Platz im Leben gefunden hatten, oder Leute, die schon bessere Tage gesehen hatten. In einem Wort, das war kein Eroberungsfeldzug, an dem ich da teilnahm, sondern die Flucht eines Heers von Geschlagenen. Wohl hatte ich schon gehört von den vielen vernichtenden Niederlagen, die die Arbeiterklasse in den letzten Jahren in Großbritannien hatte hinnehmen müssen – von menschenleeren Straßenzügen und verheizten Kellertüren, von geschlossenen Fabriken und sinnlosen Streiks, von obdachlosen Männern und hungrigen kleinen Mädchen. Aber nie hatte ich einen von diesen Menschen mit zu mir nach Hause genommen oder mir auch nur bildhaft vor Augen geführt, was das alles wirklich zu bedeuten hatte. Wir waren auf diesem Schiff eine Gesellschaft von Ausgestoßenen, Trunkenbolden, Unfähigen, Schwachen und Verschwendern, und wir flohen in ein anderes Land, weil wir uns in der Heimat nicht hatten durchsetzen können. Wir waren ein Schiff voller Versager, die gebrochenen Menschen Englands.»

Während der zehntägigen Überfahrt ernährte sich Louis von Suppe, Brot und Porridge sowie Biscuits und Whisky; als die *Vedonia* in New York einlief, war er mehr tot als lebendig. Aber noch viel schlimmer werden sollte die elftägige Bahnfahrt nach Kalifornien im Einwandererzug. Die ewig rüttelnden Waggons waren schwarze Löcher auf Rädern, überfüllt und schlecht beleuchtet und noch schlechter geheizt. Die Sitzbänke bestanden aus nacktem Holz, und die Betten für die Nacht waren Bretter, die man über die Bänke legte, sowie strohgefüllte Kissen, die man bei der Eisenbahngesellschaft zusätzlich zur Fahrkarte kaufen musste.

«Lieber Colvin, ich befinde mich auf der Bahn zwischen Pittsburgh und Chicago, wir rollen gerade durch Ohio. Mit einem Auge passe ich auf ein Kind auf, dessen

Mutter gerade schläft, mit dem anderen schreibe ich dir diesen Brief. Sonntagnacht bin ich in New York angekommen, und am Montag um fünf Uhr war ich schon wieder unterwegs nach Westen. Jetzt ist ungefähr zehn Uhr am Mittwochmorgen, ich habe also schon etwa vierzig Stunden Bahnfahrt hinter mir. Hinlegen kann man sich nicht; das ist schon sehr ermüdend. Bisher hatte ich ja keine Ahnung, wie leicht es ist, Selbstmord zu begehen. Von mir scheint nichts mehr übrig geblieben zu sein; ich bin vor einer Weile gestorben und habe keinen blassen Schimmer, wer das eigentlich ist, der hier noch weiterreist. (…) Kein Mann taugt etwas, solange er nicht alles aufs Spiel gesetzt hat. Ich fühle mich zurzeit, als ob ich es getan hätte und jetzt zum Mann heranreifen könnte.»

Der Zug der Central Pacific Railway überquerte den Mississippi und den Missouri, fuhr durch die Prärie Nebraskas und Wyomings; er fuhr vorbei an Rinderherden, wilden Sonnenblumen, einsamen, aus Holz gebauten Farmhäusern; dann eine hölzerne Kirche, verloren in der uferlosen Ebene; dann wieder eine Windmühle, die leise ächzend Wasser pumpte; und wenn der Zug einen Zwischenhalt einlegte, um erschöpfte Einwanderer in ihre neue Heimat zu entlassen, konnte man den eintönigen Gesang von Millionen Zikaden hören. Wenn die Sonne nicht allzu stark brannte und es auch nicht regnete, floh Louis aus dem Waggon hinaus auf die Plattform, an die frische Luft. Manchmal kletterte er aufs Dach, um in Ruhe einen Brief zu schreiben. «Die Schienen erstrecken sich gradeaus vor mir und gradeaus hinter mir, fadengerade bis zum Horizont. Ich freue mich am Seelenfrieden, den ich erlangt habe. Ich bin auf dem richtigen Weg. Ich weiß, dass niemand meiner Meinung ist, aber das ist mir egal. Mein Körper hingegen ist völlig im Eimer.»

Der Zug durchquerte endlose Steppen, deren karge Schönheit sich Louis nicht erschloss; er überwand die Rocky Mountains, deren ewiges Graubraun und Grauschwarz er «sehr entmutigend» fand; aber dann fuhr er durch einen letzten Canyon und über den Emigrant Pass hinunter zum Sacramento River, durch Wälder und Apfelhaine und Rebberge und Weizenfelder, vorbei an Wasserfällen und Seen und verfallenden Goldgräberstädten, und am frühen Morgen des 30. August 1879 erreichte er San Francisco, das Tor zum Pazifischen Ozean.

Leider war Fanny nicht gerade begeistert, als ihr «literarischer Freund aus Schottland» unangemeldet in Monterey vor der Tür stand, hustend und keuchend und magerer als je zuvor. Das blaue Samtjäckchen hing schäbig an seiner knochigen Gestalt hinunter, durch seine eingefallenen Wangen konnte man die Form der kariösen Zähne sehen, und seine gesamte irdische Habe bestand aus einem abgegriffenen Koffer, der nicht viel mehr enthielt als eine sechsbändige, in Leder gebundene Geschichte der Vereinigten Staaten von Amerika. Louis' überdrehte Munterkeit war tapferer Mattigkeit gewichen, und von seiner geistreichen Geschwätzigkeit war nichts mehr zu hören. Zwar berührte es Fanny sehr, dass er ihretwegen den halben Erdball umrundet und seine Gesundheit vollends ruiniert hatte; aber ob sie sich deshalb von Samuel

Osbourne scheiden lassen sollte – der sie übrigens gerade wieder einmal wegen einer lady friend verlassen hatte –, war ihr denn doch nicht klar. Und keinesfalls würde sie den Jüngling hier, unter den Augen aller Nachbarn, in ihrem Haus aufnehmen.

Louis war aufs Neue am Boden zerstört. Er mietete ein Zimmer in der Nachbarschaft und wartete. An den Wochenenden durfte er nicht bei Fanny auftauchen, denn dann kam Sam Osbourne zu Besuch, um mit den Kindern zu spielen und mit der Frau nach einer Klärung der ehelichen Verwirrung zu suchen. Bis an ihr Lebensende sollten sich Lloyd und Belle dieser schlimmen Wochenenden erinnern, an das angespannte Schweigen am Esstisch, an das Gemurmel hinter geschlossenen Türen, an das dumpfe, bedrohliche Brummen des Vaters und einen kurzen, verzweifelten Aufschrei der Mutter: «Oh Sam, verzeih mir!»

Tatsächlich hatte Samuel ihr allerhand zu verzeihen, falls er auf den Verhaltensregeln puritanisch-angelsächsischer Sexualmoral bestand; sie ihm umgekehrt aber nicht weniger. Es vergingen Monate der Unentschiedenheit, in denen Fanny nicht nur ihre beidseitigen ehelichen Sünden gegeneinander aufwog, sondern auch die männliche Anziehungskraft ihres Gatten gegen die jungenhafte Anhänglichkeit des Liebhabers; ebenso das gesellschaftliche Ansehen einer verheirateten Frau gegen die Ächtung einer Geschiedenen; und nicht zuletzt die finanzielle Sicherheit eines kalifornischen Gerichtsschreibers gegen die zweifelhaften Aussichten eines ausländischen Nachwuchsschriftstellers, der sich mit seinem wohlhabenden Elternhaus überworfen hatte. Den Nachbarn versuchte Fanny weiszumachen, ihr literarischer Freund sei nicht wegen ihr aus England angereist, sondern anlässlich einer Vortragstournee durch die USA.

Louis litt derweil und harrte machtlos der Entscheidung, die Fanny irgendwann fällen mochte. Darüber hinaus hatte er Fieberschübe, Zahnschmerzen, Verdauungs- und Schlafstörungen sowie schlimme Hustenanfälle. Und weil all seine Gedanken stets um Fanny kreisten, brachte er keine vernünftige Zeile zu Papier. «Ich habe keinerlei Neuigkeiten», schrieb er seinem Freund Charles Baxter. «Ich weiß nichts. Ich gehe jetzt in die freie Natur zelten ... und sage dir Lebewohl mit ungestilltem Verlangen und gebrochenem Herzen.» Louis mietete ein Pferd und einen leichten Wagen und fuhr in die Santa Lucia Mountains, um in der Wildnis zu zelten. Gleich am ersten oder zweiten Tag erlitt er einen heftigen Krankheitsschub, an dem er vielleicht mutterseelenallein gestorben wäre, wenn ihn nicht zwei Rancheros, die in der Nähe eine Angoraziegenfarm betrieben, aufgenommen und gesund gepflegt hätten. «Der eine ist ein alter Bärenjäger, zweiundsiebzig Jahre alt, ein ehemaliger Captain aus dem Mexikanischen Krieg; der andere war 1846 dabei, als die USA Kalifornien übernahmen. Beide sind echte Pioniere, dabei sehr freundlich und zuvorkommend. Captain Smith, der Bärenjäger, ist mein Arzt. Ich gehorche ihm wie einem Orakel.»

Als Louis einigermaßen genesen von den Rancheros Abschied nahm und nach Monterey zurückkehrte, hatte Fanny ihre Entscheidung getroffen. Sie würde sich von

Sam scheiden lassen und Louis heiraten. Aber erst würde sie nach San Francisco ziehen, um das Scheidungsprozedere in Gang zu bringen.* Louis blieb wiederum allein zurück. Um sich im Scheidungsprozess nicht zu kompromittieren, durfte Fanny mit ihrem Geliebten keinen nahen Umgang haben – und schon gar nicht mit ihm unter einem Dach wohnen. Also verbrachte Louis einsame Wochen in Erwartung der Scheidung, die Anfang 1880 stattfinden sollte. Er ging am Pazifischen Ozean spazieren. Er sammelte Muscheln und Walfischknochen. Er verursachte einen Waldbrand, als er zum Zeitvertreib mit einem Streichholz die Brennbarkeit des Spanish Moss prüfte, das in langen Zotteln von einer alten Kiefer herunterhing, worauf in Sekundenschnelle der ganze Baum lichterloh brannte und Louis vor lynchwütigen Feuerwehrleuten, die in der Nähe einen anderen Waldbrand bekämpften, die Flucht ergriff. «Ich bin in meinem Leben schon einige Male gerannt, aber niemals so wie an jenem Tag. In der Nacht schlich ich mich dann noch mal aus der Stadt, und

---

* Fannys Tochter Belle machte den Umzug nicht mit. Sie war kurz zuvor mit einem jungen Kunstmaler namens Joe Strong durchgebrannt und hatte ihn geheiratet. Schon bald aber sollte sich herausstellen, dass Belles Ehemann die gleiche Schwäche fürs weibliche Geschlecht hatte wie ihr Vater und dass er darüber hinaus ein schwerer Trinker war. Belle sollte auf Samoa wieder zu Fanny und Louis stoßen und bis zu Louis' Tod bei ihnen bleiben. Auch Joe Strong verbrachte einige Monate auf Samoa unter Stevensons Dach – auf dessen Kosten. Weil er aber die Finger nicht von den samoanischen Mädchen lassen konnte, ließ Belle sich 1892 nach zwölf Jahren Ehe scheiden.

da war mein eigener, ganz persönlicher Waldbrand und leuchtete mir heller als alle anderen.»

Louis fuhr mit der Bahn von Monterey nach San Francisco und mietete ein möbliertes Zimmer an der Bush Street 608. Er hatte fast kein Geld mehr und wenig Aussicht, welches zu verdienen. Bei allen Tageszeitungen hatte er schon vorgesprochen, hatte erst um eine Festanstellung und dann um Gelegenheitsjobs gebeten und schließlich seine Prosa zum Kauf angeboten, aber immer nur Absagen erhalten. Die kalifornischen Zeitungen jener Tage hatten keinen Bedarf an Reisebeschreibungen und literarischen Miniaturen. Was die Redakteure und die Leserschaft viel mehr beschäftigte, waren nihilistische Bombenleger in Russland und sozialistische Attentate gegen Kaiser Wilhelm, kommunistische Intrigen in Frankreich und Hungerrevolten in Irland, die Emanzipation der Juden in Europa und der Burenaufstand in Südafrika. Auch im Lokalteil gab es keinen Platz für lyrische Betrachtungen angesichts von Massenarbeitslosigkeit und Hungersnot, überbordender Kriminalität und drohenden Pogromen gegen chinesische Einwanderer. Louis hätte über die Finanzierung von Straßenbahnen und Lehrerlöhnen schreiben müssen, über die geplante Zwangsarbeit für Jugendliche*, über die Kampagnen zum Schutz der

---

* Laut Zeitungsberichten lebten in den Straßen von San Francisco fünftausend zehn- bis zwölfjährige Kinder, die die Grundschule hinter sich und keine Arbeit in Aussicht hatten und infolge Müßiggangs allen möglichen Lastern verfielen. Ein Komitee wollte mit 25 000 Dollar Startkapital die «Boys' and Girls' Cigar

Mammutbäume und das Für und Wider einer Gefängnis-
reform oder mindestens über den alltäglichen Mord und
Totschlag in der Hafenstadt. Aber dass solche Dinge sein
literarisches Thema sein könnten, war ihm noch nicht klar.

Weil die Tage lang waren und seine Gesundheit es
gerade zuließ, unternahm er ausgedehnte Wanderungen
durch die Stadt. Das Notizbuch trug er stets bei sich. «Die
Straßen führen schnurgerade die Hügel hoch, andere
rechtwinklig die Hügel entlang, die einen an der Sonne,
die anderen im Schatten, ein scharfes Muster von Licht
und Schatten. Zu dieser scharfen Beleuchtung passt der
Gesang der Seeluft, das frische Glitzern, die immer neuen
Ansichten, die sich einem an jeder Ecke bieten – ein Blick
auf die Bucht, auf Tamalpais, steil abfallende Straßen, die
ganze Stadt, die einem zu Füßen liegt – und dann fremd-
artige Gesprächsfetzen, der Gesang von Matrosen, die
chinesischen Kulis, die sich am Ufer abrackern, das Gebrüll der Menschenmenge vor der Börse von frühmor-
gens bis abends …» Louis überquerte die altehrwürdige
Mexican Plaza und gelangte nach Chinatown, wo er sich
über die unleserlichen Schriftzüge an den Hauswänden
wunderte und über die Auslagen der Lebensmittelge-
schäfte mit ihren getrockneten Fischen, bizarren Nüssen
und fremdländischen Früchten. Gleich neben Chinatown
lag Little Italy, wo es kleine Restaurants gab, die «man
mit allem Drum und Dran aus Genua oder Neapel her-

Manufacturing Company» lancieren, welche die Kinder zur Arbeit anhalten und den gesamten Zigarrenbedarf der Stadt ab-
decken würde. Das Projekt erwies sich als politisch nicht durch-
setzbar.

beigeschafft hatte, samt Makkaroni, Chiantiflaschen und dem Garibaldi-Portrait an der Wand». Er stieg hinauf nach Nob Hill, «das Ghetto der Millionäre», wo die Eisenbahnmagnate wohnten und die Goldrauschprofiteure, und dann wieder hinunter nach Little Mexico und weiter in das berüchtigtste aller Viertel, die alte Barbary Coast. Hier trugen die Männer ihre Pistolen und Gewehre offen zur Schau, und sie benutzten sie auch. Im Licht der Straßenlaternen lehnten stark geschminkte Frauen an den Hauswänden. Hierher kamen die Matrosen auf Landurlaub, um ihre Heuer zu verjubeln, und wenn sie nicht achtgaben, wurden sie mitten auf der Straße von Menschenhändlern niedergeschlagen und zur Verstärkung der Mannschaft an Bord irgendeines gerade in See stechenden Schiffs geschleppt. Das war ein Milieu, das Louis aus Edinburgh kannte. Wie ein Stammgast ging er ein und aus in mexikanischen Spielhöllen und chinesischen Opiumhöhlen, ließ sich in deutsche Geheimgesellschaften einführen, verkehrte in Matrosenunterkünften und Kneipen und Spelunken aller Art. «Einmal nahm ich in einem Restaurant friedlich einen Teller Austern zu mir, bezahlte und ging – und erfuhr später, dass zehn Minuten danach im gleichen Lokal geschossen worden war. Und einmal sah ich um etwa zehn Uhr abends einen Mann an einer Ecke stehen, der mit einer langen, glitzernden Smith & Wesson nach jemandem Ausschau hielt, der wohl etwas getan hatte, was er besser nicht getan hätte.»

Am Ende dieses rauen Viertels begann die North Beach. Hier wehte der frische Duft der See, hier schwankten die Masten der ankernden Schiffe – der riesigen europäischen Handelsschiffe, die Kap Hoorn umrundet hatten, der kleinen Handelsschiffe aus China, Ostindien oder Australien und, vor allem, der tief im Wasser liegenden, zierlichen Südseeschoner, auf denen dunkelhäutige Matrosen in lieblichem Singsang leise miteinander sprachen und aus schwarzen Augen freundliche Blicke hinüberwarfen zu dem dürren, blassen Burschen, der am Quai vorüberging.

Dann waren da die Hafenkneipen. Jene eingangs erwähnte, oft weitererzählte Legende besagt, dass Robert Louis Stevenson in einer Kneipe namens «Harry White's Bar» mit einem Seebären ins Gespräch kam, der angeblich Peg Leg (deutsch: Holzbein) Benton hieß und auf einem Auge blind war. Jener Benton soll dem jungen Dichter von der einen, der berühmtesten aller Schatzinseln erzählt haben, auf der angeblich Generationen von Piraten ihre Schätze vergraben haben. Die Insel heißt Cocos Island und liegt viertausend Kilometer südöstlich von San Francisco im Pazifischen Ozean, unweit der Küste von Costa Rica. Dass es den Mann oder die Bar jemals gegeben hat, ist zweifelhaft; ganz sicher ist aber, und das haben bisher alle Stevenson-Biographen übersehen, dass in jenem Oktober 1879, da Louis auf Fannys Scheidung wartete, tatsächlich ein Schiff voller Schatzsucher nach Kalifornien zurückkehrte. Das Schiff erregte Aufsehen, die Zeitungen berichteten darüber. Es ist keine gewagte Annahme, dass Louis am Freitag, dem 31. Oktober 1879 – wenige Tage nach seiner Rückkehr aus der Wildnis – den «San Francisco Call» las. Dieser titelte auf der Frontseite:

Cocos Island Gold:
Zwei Suchexpeditionen
fehlgeschlagen

«Cocos Island liegt vor der Küste Zentralamerikas und soll dicht bedeckt sein mit Schatzkisten von Seeräubern und Freibeutern, die vor langer Zeit die Meere unsicher machten. Eine Legende besagt, dass die Piraten Cocos Island zu ihrem Hauptquartier gemacht hatten und dass sie zuweilen ihre Galeonen vor der Küste versenkten, um ihre Schätze unter Wasser zu verstecken. Mehrere Expeditionen sind schon nach Cocos Island gereist, um die sagenumwobenen Millionen zu bergen, aber niemand hat sie bisher gefunden. Der Schooner *Vanderbilt*, der am 12. April aus diesem Hafen auslief, um die Piratenschätze zu bergen, ist vor einer Woche nach Santa Barbara zurückgekehrt mit einer entmutigten Mannschaft, die keinerlei Gold in den Taschen hat. (...) Drei Monate lang haben sie sich unter der tropischen Sonne abgemüht, haben Tunnel und Schächte und Gräben ausgehoben. Aber die ganze Mühsal war vergeblich, und als die Vorräte knapp wurden, waren sie gezwungen aufzugeben.

Die Rückreise dauerte wegen häufiger Flauten und Gegenwind 66 Tage. Die letzten zwölf Tage lebte die Mannschaft nur noch von Mehl und Tee. Unterwegs riss ein Sturm beide Toppmasten des Schoners ab und machte ihn nahezu manövrierunfähig.

Während die *Vanderbilt* auf Cocos Island war, traf aus San Francisco auch das Dampfschiff *Rescue* ein, ebenfalls auf der Suche nach dem sagenhaften Gold. Kapitän und Mannschaft verloren aber bald den Mut und fuhren nach Puntarenas, wo sie das Schiff der costaricanischen Regierung verkauften.»

4 Cocos Island

Cocos Island ist schwer zu finden — so schwer, dass unter Seeleuten über Jahrhunderte das Gerücht ging, die Insel gäbe es gar nicht. Sie ist umgeben von starken und tückischen Meeresströmungen, sie steckt zu jeder Jahreszeit unter schwarzen Wolken und dichtem Nebel, der heiß ist wie Dampf, und sie hat nur eine Ausdehnung von zweitausendvierhundert Hektar in der indigoblauen, hundertsechsundsechzig Millionen Quadratkilometer weiten Unendlichkeit des Pazifischen Ozeans. Zehn Monate im Jahr fällt unter Blitz und Donner ununterbrochen schwerer Regen, die übrige Zeit mehrmals täglich.

Ihren Namen verdankt die Insel den vielen Kokospalmen, deren schlanke Stämme sich an der Küste weiß gegen das Grün des Dschungels abheben. Seit ihrer Entdeckung durch spanische Kundschafter um 1535 haben zahllose Freibeuter, Walfänger und Weltumsegler Cocos Island angesteuert, um Trinkwasser aufzunehmen und ihre Vorratskammern mit Kokosnüssen zu füllen. Viele von ihnen kreuzten wochenlang in nächster Nähe durch den Nebel, ohne die immerhin 634 Meter hohe, typisch kegelförmige Vulkaninsel zu finden. Und wenn der Steuermann endlich — zu spät — Land sichtete, zerschellte das Schiff an den von der Brandung zerfressenen Basaltklippen, die bis zu hundert Meter hoch senkrecht aus dem Meer ragen. Von Osten, Süden und Westen her ist keine

Landung möglich. Nur im Norden gibt es zwei Buchten, Waver Bay und Chatham Bay, über deren steinige Strände die Insel zugänglich ist.

Noch nie hat ein Mensch hier leben wollen – mit Ausnahme des deutschen Matrosen August Gissler und seiner Frau Clara, die es siebzehn Jahre in ihrer Blockhütte auf Waver Bay aushielten und von denen noch die Rede sein wird. Die steilen Hänge unter den hohen Bergspitzen sind lückenlos bedeckt von tropischem Regenwald. Unter den weit ausladenden Laubkronen der Urwaldriesen wird es nie richtig Tag, die Stämme und Äste sind dicht bewachsen mit tropfnassem Moos, und in den Luftwurzeln siedeln Bromelien. Überall versperren Kletterpflanzen und Lianengestrüpp die Sicht, und am Boden wächst undurchdringliches Unterholz mit mannshohem Elefantengras und Riesenfarn, zähen Schlingpflanzen und giftigem Dornenzeug. Ewig fällt in fetten Tropfen Regen aus den schwarzen Wolken auf die Baumkronen, von den Baumkronen aufs Farn, vom Farn hinunter aufs Moos und auf die Flechten, rinnt über den gelben Lehmboden, um sich in wütenden Bergbächen zu sammeln, die in wilden Wasserfällen über die Klippen ins Meer stürzen.

Die Insel liegt auf einer kleinen tektonischen Platte zwischen der großen nordamerikanischen und der noch größeren pazifischen Platte. Da sich die Platten seitwärts und übereinander verschieben, kommt es an den Verwerfungslinien häufig zu Erdbeben und Vulkanausbrüchen. Vor wie vielen hunderttausend Jahren sich Cocos Island feuerspuckend und ascheschleudernd aus dem vulkanischen Untergrund erhob und wann der Wind das erste Samenkorn vom amerikanischen Festland herüberwehte, worauf dieses Wurzeln im fruchtbaren vulkanischen Boden schlug – das weiß man nicht. Bald bedeckte dichter Dschungel die Insel, und verirrte Vögel ließen sich nieder: rot- und gelbfüßige Tölpel, weiße Seeschwalben, Fregattvögel, Seemöwen, eine Kuckucksart, der olivgrüne Fliegenschnäpper und Kolibris in allen Farben und Formen. Gleichzeitig kamen die Insekten: handtellergroße Nachtfalter, Schmetterlinge, große, geflügelte Heuschrecken, Zikaden, Wespen, Kakerlaken, Drachenfliegen, Mücken und Ameisen – rote Ameisen. Die Ameisen schwärmen über jeden Stein, über jeden Baum und jeden Busch, auch über jeden Menschen, der sich in den Wald hineinwagt, und zwar zu Hunderten und Tausenden. Ihr Instinkt befiehlt ihnen zuzubeißen, wann immer sie mit ihren Fühlern etwas lebendig Warmes ertasten, und zur Steigerung der Wirkung enthält ihr Speichel Ameisensäure, die qualvollen, stundenlangen Juckreiz verursacht. Harmlos sind dagegen die hellgrün, blau und orange gefärbten Anolis-Echsen, die sich in großer Zahl durch die Baumkronen hangeln und die wohl allesamt Nachfahren sind jenes einen trächtigen Echsenweibchens, das vor Urzeiten irgendwo an der Küste Mittelamerikas auf einem morschen Ast saß, als dieser abbrach und ins Meer fiel und Hunderte von Meilen westwärts trieb, um sich in den Felsen von Cocos Island zu verfangen. Schlangen gibt es auf der Insel keine – weil sie keine Extremitäten haben, mit denen sie sich an morschen Ästen hätten festhalten können. Auch nach Säugetieren, welche die Überfahrt gemeistert hätten, sucht man vergebens; denn warmblütige Tiere ertragen Nässe, Kälte und Hunger weit weniger lang als Amphibien und Reptilien. Wohl gibt es Millionen von riesigen Ratten – Ratten am Strand, Ratten in der Erde, Ratten im Wasser, Ratten sogar in den Bäumen –, aber die sind erst vor vier- oder dreihundert Jahren an Land gegangen, als dieser oder jener Kapitän den Rumpf seines Schiffes ausräuchern ließ, während die Mannschaft auf Landgang war. Weil alles Erdreich ewig triefend nass ist, bauen die Ratten ihre Nester in den Baumkronen, und die Weibchen sind ununterbrochen trächtig und werfen nach einer Tragzeit von drei Wochen bis zu achtzehn Junge, welche bei bester Ernährungslage in Abwesenheit jedes natürlichen Feindes schon nach einem Monat geschlechtsreif sind.

Schließlich hat sich auf Cocos Island auch das europäische Hausschwein niedergelassen, und zwar exakt in den frühen Morgenstunden des 30. Juli 1793. An jenem Tag lichtete das Forschungsschiff *Rattler*, das für die britische Walfängerflotte die Jagdgründe im Pazifik erkundete, vor Chatham Bay die Anker. Erleichtert schrieb dessen Kapitän James Colnett: «Der viertägige Aufenthalt auf der Insel hatte uns stark ermüdet, und wir waren froh, sie zu verlassen. Wir nahmen zweitausend Kokosnüsse mit an Bord; im Gegenzug ließen wir an der nördlichen Bucht einen Eber und eine Sau zurück, ebenso einen Ziegenbock und eine Geiß. In der anderen Bucht säten wir Gartensamen aller Art zum Wohle derer, die nach uns hier anlegen würden. Ich hinterließ zudem eine Flaschenpost, die ich an einem Baum festband.»

Die zwei Ziegen überfraßen sich an der üppigen Fauna und starben, und die Flaschenpost sollte ein Jahr später Kapitän George Vancouver mitnehmen, als er in der Bucht vor Anker ging. Der Eber und die Sau aber liefen in den Wald und vermehrten sich, und ihre Nachkommen verwilderten rasch zu kleinen, schlanken und klugen Rudeltieren, die bösartig rote Augen haben, hinterrücks angreifen und schwer zu jagen sind, aber ein schmackhaftes, mageres Fleisch abgeben.

Um schließlich das Glück des nahrungsuchenden Seemanns voll zu machen, tummeln sich vor der Küste Mantarochen, Thun- und Schwertfische sowie Haie, Bonitos, Makrelen, Adlerlachse, Fächerfische, Wasserschildkröten sowie Garnelen, Krabben, Austern und andere Krusten- und Schalentiere sonder Zahl. Solchen Überfluss gibt es auf vielen der zwanzigtausend Inseln im Pazifischen Ozean. Was aber Cocos Island als Schatzinsel vor allen anderen auszeichnet, ist ihre geographische Lage (5 Grad, 32 Minuten und 57 Sekunden nördlicher Breite, 87 Grad, 2 Minuten und 10 Sekunden westlicher Länge) fünfhundert Kilometer südlich von Costa Rica und achthundert Kilometer westlich von Panama: außer Sichtweite des amerikanischen Festlands, weitab von den großen Schifffahrtsrouten und schwer zu finden, aber bei günstigem Wind in zwei bis drei Tagen zu erreichen – das ideale Hauptquartier für englische und französische Piraten, die es auf die unermesslichen Schätze Spanisch-Amerikas abgesehen hatten.

Schon 1684 tauchte der englische Freibeuter Edward Davis mit der *Batchelor's Delight* in der Gegend auf; die

Legende besagt, dass Cocos Island sein Hauptquartier war und dass er von hier aus zwanzig Jahre lang die Küste Neu-Spaniens überfiel, nordwärts bis hinauf nach Baja California und südwärts bis Guayaquil. Gelegentlich schloss sich ihm ein anderes Freibeuterschiff an, die *Cygnet* unter Kapitän Swan etwa oder die *Nicolas* unter Kapitän Eaton, manchmal auch das eine oder andere französische Schiff.

Auch Benito Bonito, einer der berühmtesten Piratenkapitäne der Karibik, der sagenumwobene «Bonito of the Bloody Sword», soll hier um 1820 seine Schätze vergraben haben. Er hatte seine Karriere 1814 als Kapitän eines kleinen spanischen Kaperschiffs begonnen, damit ein portugiesisches Handelsschiff gekapert und mit diesem wiederum den englischen Sklaventransporter *Lightning*, dessen Namen er umgehend ins spanische *Relampago* übersetzte. Über Jahre säte er Tod und Verwüstung in der Karibik, bis die britische Admiralität zwei Fregatten und eine Kriegskorvette auf ihn ansetzte, worauf Benito Bonito die *Relampago* vor den britischen Kanonen in Sicherheit brachte, indem er um Kap Hoorn auf die pazifische Seite Südamerikas floh. 1819 bekam er Wind davon, dass die spanische Obrigkeit eine gewaltige Menge Gold auf Maultieren von Mexico City hinunter zur Küste schickte, um es im Hafen von Acapulco über Manila nach Madrid zu verschiffen. Bonito und seine Männer gingen in einer menschenleeren Bucht an Land, warteten auf den Maultierzug, richteten unter den Begleitsoldaten ein Blutbad an und verschwanden mit dem Gold – so will es die Legende – nach Cocos Island.

Es kann keinen Zweifel daran geben, dass das kleine Eiland vor der Küste Costa Ricas die Mutter aller Schatzinseln ist. Nirgendwo sonst auf der Welt werden so viele vergrabene Schätze vermutet wie auf dem wenige hundert Meter langen Landstrich um Chatham Bay und Waver Bay. Wenn alle Schatzgräberkarten echt wären, die seit zweihundert Jahren in Umlauf sind und immer wieder für teures Geld gekauft, vervielfältigt und weiterverkauft wurden in düsteren Hafenkneipen, windigen Antiquariaten und schmuddeligen Matrosenunterkünften, dann müsste jeder Spatenstich ein Treffer sein. Am leidenschaftlichsten aber wird seit jeher nach dem einen, dem größten, dem wertvollsten aller Piratenschätze gesucht, den alle Welt seit seinem Verschwinden auf Cocos Island vermutet: dem Kirchenschatz von Lima. Seit bald zweihundert Jahren fehlt jede Spur von ihm.

Zu Beginn des 19. Jahrhunderts breitete sich in Amerika wie ein Steppenbrand die Revolte der unterdrückten Völker aus. Die dreizehn englischen Kolonien Nordamerikas hatten das Joch der Alten Welt schon abgeschüttelt. In Mexiko tobte der Unabhängigkeitskampf, in Südamerika eilten die Revolutionsarmeen von Sieg zu Sieg. Die spanischen Granden gaben eine Provinz nach der anderen verloren und zogen sich nach Lima zurück, der Hauptstadt aller Hauptstädte Spanisch-Amerikas, zu jener Zeit eine der reichsten Städte der Welt. Von hier aus wurde das Gold aus den Minen Perus nach Spanien verschickt, ebenso das Silber aus den mexikanischen Bergwerken und ein Großteil der Schätze, die man in dreihundert Jahren den Inkas, Maya und Azteken geraubt hatte. Im August 1821 aber herrschte auch in Lima Panik. Von Norden her stürmten die zerlumpten, aber siegreichen Truppen Simón Bolívars heran, aus dem Osten kam über die Anden General José de San Martin, und im Westen bereitete auf dem Ozean die chilenische Flotte unter dem Kommando des exzentrischen Briten Lord Cochrane, Earl of Dundonald und ehemaliger Admiral der Royal Navy, eine Seeblockade vor. Es schien nur noch eine Frage von Tagen und Stunden zu sein, bis Horden von ungewaschenen Mestizen und entlaufenen Negersklaven die altehrwürdige Plaza de Armas überfluten würden. Zwar wurde Lima von Zehntausenden königstreuen spanischen Soldaten bewacht; aber das waren verweichlichte und unzuverlässige Gesellen, die nicht lange Widerstand leisten würden. Eine Evakuierung der Bevölkerung war unmöglich. In dieser Lage kamen der Bischof, der Vizekönig und der Gouverneur überein, dass man zumindest die in der Kathedrale lagernden sakralen und profanen Schätze in Sicherheit bringen müsse, deren Anhäufung drei Jahrhunderte größter Anstrengung erfordert hatte. So wurde der Kirchenschatz von Lima auf Maultieren und unter den Augen der staunenden Einwohner aus den Katakomben der Kathedrale ans Tageslicht befördert und auf Ochsenkarren verladen: mächtige Schränke aus Zedernholz und juwelenbesetzte Kisten, Madonnenstatuen und Kruzifixe und zahllose Knochen von Heiligen sowie ungezählte Splitter vom Kreuz Christi. In manchen Kisten, so wird erzählt, lagen knietief Perlen und Opale, Granate, Diamanten, Amethyste, blutrote Rubine und blau leuchtende Saphire, in anderen juwelenbesetzte Schwerter und Königskronen; in der größten aber lagerte lebensgroß und in massivem Gold die Statue der Heiligen Muttergottes mit ihrem Kind.

Auf Ochsenkarren und Eselsrücken wurden die Reichtümer hinunter zum acht Kilometer entfernten Hafen von Callao gebracht. Dort lagen nur noch wenige Schiffe; die meisten waren geflohen vor der Flotte der Aufständischen, die in Sichtweite vor Anker lag, auf Distanz gehalten nur vom einzigen verbliebenen spanischen Kriegsschiff, der mächtigen *Esmeralda*, welche die Hauptstadt Lima bis zur letzten Kanonenkugel verteidigen würde. Ansonsten war da nur noch die *Mary Dear*, eine kleine britische Brigg, die wendig und schnell genug war, um der chilenischen Flotte zu entwischen. Ihr Kapitän hieß William Thompson. Er war an der Küste Südamerikas bekannt als tüchtiger und vertrauenswürdiger Händler – und das wäre er vielleicht auch geblieben, wenn nicht in den folgenden Stunden einer der kostbarsten Schätze, die je eines Menschen Auge erblickt hat, an Bord seines Schiffes gebracht und seiner Obhut geradezu aufgedrängt worden wäre.

Die vornehmen Spanier erteilten Kapitän Thompson Weisung, die *Mary Dear* aufs offene Meer hinaus zu steuern und hinter dem Horizont zu kreuzen; falls Lima den Aufständischen in die Hände fiel, sollte er den sicheren Hafen von Panama ansteuern, andernfalls wieder nach Lima zurückkehren. Den ersten Teil des Auftrags erfüllten Thompson und seine vierzehn Mann Besatzung prompt: Die *Mary Dear* verschwand mit dem Kirchenschatz am Horizont. Allerdings tauchte er am Horizont dann nicht wieder auf, weder vor Lima noch vor Panama. Sei es, dass die Mannschaft in intimer Nähe zu so viel Gold meuterte und ihren Kapitän zur Piraterie zwang oder dass Thompson selbst der Versuchung erlag – jedenfalls schnitten sie den wenigen spanischen Soldaten und den paar Geistlichen, die den Kirchenschatz eskortierten, die Kehlen durch und warfen ihre Leichen über Bord. Und dann verschwand die *Mary Dear* in der unendlichen Weite des Pazifischen Ozeans.

Wohin aber fuhr das Schiff? Anzunehmen ist, dass Kapitän Thompson und sein Erster Maat eine unbewohnte Insel namens Cocos Island ansteuerten und den Schatz mit Beibooten an Land brachten, um ihn an einer geheimen, aber leicht zugänglichen Stelle zu vergraben. Anzunehmen ist weiter, dass sie nach getaner Arbeit zurück nach Osten segelten, dem südamerikanischen Subkontinent entgegen; und anzunehmen ist schließlich, dass kurz vor dem Augenblick, da die Küste in Sicht kam, Kapitän Thompson seine Männer in die Beiboote umsteigen hieß und das Schiff in Brand steckte. Denn die *Mary Dear* war nun ein gebrandmarktes, vogelfreies Schiff, mit dem er in keinem Hafen der Welt hätte einlaufen können, ohne von der Obrigkeit umgehend festgenommen zu werden. Also ruderten Thompson und seine vierzehn Männer in den Beibooten dem Festland entgegen und ließen sich vor der Küste Costa Ricas von einer spanischen Fregatte festnehmen, um nach Lima zurückzukehren und dem Vizekönig zu berichten, dass die *Mary Dear* in Seenot geraten und leider samt Kirchenschatz auf den Grund des Ozeans gesunken sei.

Der Plan war gut, ging aber nicht auf. Denn in der Zwischenzeit hatte das Meer die sterblichen Überreste der ermordeten Soldaten und Mönche an Land gespült. Gegen eine natürliche Todesursache sprachen die aufgeschlitzten Kehlen und die offenkundige Gleichzeitigkeit ihres Ablebens. Unter der Folter gestanden der Steuermann, der Bootsmann, der Schiffszimmermann, der Koch und die neun Matrosen sehr rasch, übereinstimmend und äußerst glaubwürdig, dass sie den Schatz auf einer Insel namens Cocos Island vergraben hätten. Wo aber auf Gottes weitem Erdenrund die Insel sich befinde, wussten sie nicht zu sagen, denn keiner von ihnen konnte lesen oder schreiben, geschweige denn navigieren. Mit Längen- und Breitengraden kannten sich nur Kapitän Thompson und der Maat aus. Sie allein konnten wissen, wo der Schatz sich befand. Der spanische Vizekönig ließ deshalb die dreizehn Matrosen hängen und schonte fürs Erste den Kapitän und den Maat.

Wochen später führten Thompson und der Maat ein spanisches Expeditionsschiff tausend Meilen nordwestwärts nach Cocos Island. Kaum an Land gegangen aber schlugen sich die zwei Piraten in die Büsche, und die Spanier konnten sie ums Verrecken nicht mehr finden. Die Soldaten waren die Treibjagd durch den rattenverseuchten Dschungel bald leid; und als nach ein paar Tagen die Vorräte knapp wurden, überließ es der Kommandant der feindseligen Natur, das Todesurteil an Thompson und dem Maat zu vollstrecken. Er kehrte mit seinen Männern zurück aufs Schiff und fuhr heim nach Lima. In den Monaten danach schickte der Vizekönig noch mindestens zwei stark bewaffnete Expeditionen nach Cocos Island, welche die Piraten finden und den Schatz bergen sollten. Sie blieben erfolglos.

Thompson und der Maat hielten ein halbes Jahr auf Cocos Island durch. Dann tauchte am Horizont der britische Walfänger *Captain* auf und legte tatsächlich an, um Wasser aufzunehmen. Der Kapitän glaubte den beiden, dass sie unschuldige Schiffbrüchige seien, nahm sie an Bord und setzte sie auf dem amerikanischen Festland ab. Die beiden verschwanden spurlos und tauchten über zwanzig Jahre lang nicht mehr auf.

1845 aber lag ein Mann namens Thompson in St. Johns in Neufundland auf dem Sterbebett. Ob es der ehemalige Kapitän der *Mary Dear* war, kann niemand mit Sicherheit sagen. An seiner Seite saß ein junger Bursche namens John Keating, und diesem soll Thompson in den letzten Zügen zugeflüstert haben, an welcher Stelle auf Cocos Island sich der Kirchenschatz von Lima befindet. Aufgrund dieser Angaben fertigte Keating eine Schatzkarte an – und das ist die Mutter Hunderter von Schatzkarten, die seither in Umlauf sind.

Was dann geschah, ist von Legenden umrankt. Manche behaupten, John Keating habe zusammen mit seinem Geschäftspartner Bogue ein Schiff gechartert, Kap Hoorn umrundet und Cocos Island erreicht, dort tatsächlich eine Höhle voller Gold und Edelsteine entdeckt und sei mit spanischen Golddublonen im Wert von siebentausend, vierzigtausend oder hunderttausend Dollar heim nach

St. Johns gekehrt; zuvor aber habe er Bogue – in diesem Punkt sind die Überlieferungen uneins – über Bord geworfen, erschossen oder lebendigen Leibes in der Goldhöhle begraben, wobei in letzterem Fall dessen Skelett bis auf den heutigen Tag den Schatz bewachen würde. Andere Versionen wollen wissen, dass Keating ein zweites und ein drittes Mal nach Cocos Island fuhr und dass er zu großem Wohlstand kam und sich weite Ländereien und eine Yacht kaufte, mit der er 1868 bei Codroy Village, Neufundland, Schiffbruch erlitt und darauf seinem Steuermann Nicholas Fitzgerald, der ihm das Leben rettete, aus Dankbarkeit das Geheimnis der Schatzinsel offenbarte. In den Besitz einer Schatzkarte gekommen sein sollen aber auch John Keatings Schwiegersohn sowie seine junge Ehefrau und ihr Liebhaber, ebenso dessen Bruder und dessen Sohn und nach Keatings Tod ihr neuer Ehemann.

Da immer mehr Eingeweihte immer noch mehr Menschen ins Vertrauen zogen, fand das Geheimnis Mitte des 19. Jahrhunderts lawinenartig rasch Verbreitung. Niemand weiß, wie viele Abenteurer mit ihren Schatzkarten den weiten und kostspieligen Weg nach Cocos Island auf sich nahmen. Gelegentlich kam es vor, dass einer sein Haus verriegelte und spurlos verschwand. Manche wurden nie wieder gesehen, andere kehrten nach Wochen oder Monaten kleinlaut heim, wieder andere prahlten mit Schätzen, die sie angeblich gefunden, wegen widriger Umstände aber leider hätten zurücklassen müssen. Einige wenige Eingeweihte widerstanden der Verlockung, blieben im Land und nährten sich redlich. Der tapfere Steuermann Fitzgerald etwa, der den schiffbrüchigen Keating gerettet hatte, fischte zeitlebens Kabeljau in Neufundland. Um 1870 soll er selbst in Seenot geraten und von einem britischen Kriegsschiff gerettet worden sein, worauf er aus Dankbarkeit die Schatzkarte seinem Retter, Admiral Curzon Howe, schenkte. Dieser gab sie seinerseits – und das ist nun wieder historisch verbürgt – dem berühmten englischen Autorennfahrer Sir Malcolm Campbell weiter. Campbell rüstete für viele hunderttausend Dollar eine Expedition aus, die am 27. Februar 1926 in Chatham Bay vor Anker ging und vier Monate später enttäuscht wieder abzog. Immerhin ging Sir Campbell in die Geschichte ein als der mutmaßlich erste Schatzsucher, der den Einsatz von Metalldetektoren in Erwägung zog. Um die in seinem Auftrag entwickelten Geräte zu testen, ließ er auf dem weitläufigen Gelände vor seiner Garage allerhand Motorteile und Ersatzräder vergraben – wo diese bis auf den heutigen Tag ruhen, weil die Metalldetektoren noch nicht ausgereift waren.

Hunderte von Schatzkarten, Briefen und Skizzen sind seither ans Tageslicht befördert worden, die angeblich jahrzehntelang in verstaubten Schreibtischen, hinter Leinwänden von Ölbildern oder zwischen vergessenen Buchregalen lagen, und allesamt sollen sie echt sein oder zumindest echte Kopien der Originale, die irgendwann im Besitz von Thompson, Keating, Bogue, Hackett oder Fitzgerald waren. Ziemlich sicher ist seit 1850 kein Jahr vergangen, in dem sich auf Cocos Island kein Schatzgräber abgemüht hat, und bestimmt hat es seither keinen

Tag gegeben, an dem nicht irgendwo auf der Welt sich irgendjemand im Besitz der allergeheimsten Informationen glaubte, die auf direktestem Weg zu den Piratenschätzen führen mussten. Kein Mensch weiß, wie viele hundert Schiffe seither die Reise nach Cocos Island unternommen haben und wie viele Männer in Chatham oder Waver Bay an Land gingen, um in der brütenden Hitze mit Schaufeln und Pickeln über den Strand herzufallen, sich von den Mücken stechen und von den Ameisen beißen zu lassen und nach ein paar Tagen, Wochen oder Monaten wieder abzuziehen. Manchmal waren es Schulbuben, die im Ruderboot aufs Meer hinausruderten und vielleicht sogar die Überfahrt schafften und die spätestens auf der Rückfahrt von der US-Navy oder der costaricanischen Küstenwache gerettet werden mussten. Oft waren es vermögende Yachtbesitzer, die sich zwischen den Badestränden von Acapulco und Tahiti eine kleine Aufregung gönnten. Zuweilen ließen sich schrullige Einzelgänger auf der Insel aussetzen, um eine Weile mit Wünschelrute oder Pendel den Strand abzusuchen. Einmal soll auch ein deutsches Medium namens Margo Schneider angereist sein, um Kontakt mit dem Geist Benito Bonitos aufzunehmen. Andere hingegen betrieben die Schatzsuche mit naturwissenschaftlichem Ernst, entwickelten neue Suchinstrumente mit Infrarot und Ultraschall und Elektromagnetismus und verhedderten sich damit heillos im Lianengestrüpp des Dschungels. Dann gab es jene Schatzsucher, die mit Dutzenden von indianischen Landarbeitern anrückten, welche für sie schaufeln und pickeln sollten; später dann kamen US-amerikanische Bulldozer und Dynamitstangen zum Einsatz. Gelegentlich kam es vor, dass zwei oder drei Schiffe gleichzeitig in Chatham Bay ankerten; dann bekämpften sich deren Suchtrupps am Ufer mit widersprüchlichen Schatzkarten, sprengten Löcher ins Erdreich, dass den Konkurrenten die Felsbrocken um die Ohren flogen, und drohten einander mit Messern und Schusswaffen.

Schließlich gab es die Glücksritter im Nadelstreifenanzug, die Aktiengesellschaften ins Leben riefen mit vielversprechenden Namen wie «Cocos Expedition» (San Francisco, 1854), «Hidden Treasure Company» (New York 1873), «Clayton Metalphone Ltd.» (Vancouver 1931) oder «Treasure Recovery Ltd.» (London 1934). Manche von ihnen rüsteten tatsächlich Expeditionen aus und schickten Schiffe auf die Reise; andere verließen nie den sicheren Grund weicher Teppiche in gut geheizten Sitzungszimmern. Die Aktien all dieser Gesellschaften waren ihrer Natur gemäß extrem volatil. In aller Regel verloren sie stetig an Wert, je länger der Erfolg ausblieb. Aber dann konnte es plötzlich vorkommen, dass in den Zeitungen ein paar hochinteressante Artikel erschienen oder dass in Börsenkreisen dieses oder jenes Gerücht kursierte, worauf der Kurs in schwindelerregende Höhen stieg, um kurz darauf ins Bodenlose abzusacken, weil jemand in kluger Voraussicht ein ziemlich großes Aktienpaket wieder abstieß.

Am Mittwoch, den 1. Dezember 1897, etwa schrieb die New York Times:

«Es ist anzunehmen, dass der auf einen Wert von 30 Millionen Dollar geschätzte Schatz von Cocos Island mittlerweile sicher an Bord des britischen Kreuzers *Amphion* ist. Darauf lassen die Nachrichten schließen, die das US-Kanonenboot *Alert* aus Guatemala gebracht hat. (...) Es scheint, dass Admiral Pallister seine Männer an einer bestimmten Stelle graben ließ, worauf sie in einer Tiefe von ungefähr sechs Fuß eine große Steinplatte freilegten, welche früher eine Art Inschrift aufgewiesen haben muss. Die Ausgrabung war von großen Schwierigkeiten begleitet, da sich das Loch immer wieder mit Wasser füllte. Schließlich konnte die Steinplatte entfernt werden, worauf der Blick frei wurde auf eine Art Tunnel, dessen Wände aber sogleich einstürzten und beinahe mehrere Männer begruben. Am nächsten Tag wurde an jener Stelle eine Sprengladung angebracht, aber das führte nur zu noch größeren Schwierigkeiten.»

Gut drei Monate später, am 13. März 1898, folgte dann diese kurze Meldung:

«Wie aus dem Brief eines Matrosen an Bord des königlich-britischen Schiffs *Amphion* hervorgeht, ist die angeblich erfolgreiche Schatzsuche auf Cocos Island nun doch erfolglos verlaufen. Die Männer haben zehn Tage lang gegraben und nichts gefunden.»

Immer und immer wieder haben sich große Hoffnungen in Enttäuschung und Bitterkeit aufgelöst, und die ältesten Freunde wurden zu erbitterten Feinden. Zahllos sind die Männer, die diesem Flecken Erde ihre körperliche und geistige Gesundheit, ihr Vermögen und die besten Jahre ihres Lebens geopfert haben. Die Glücklichsten unter den Schatzsuchern waren jene, die nur so zum Spaß anreisten. Einer von ihnen war US-Präsident Franklin Delano Roosevelt, der auf einer Ferienreise mit dem Panzerkreuzer *U. S. S. Houston* am Mittwoch, 9. Oktober 1935, seinem Begleittross die Erlaubnis gab, ein paar Stunden auf Cocos Island im Erdreich zu wühlen. Während sein Gefolge an Land ging, blieb Roosevelt, der im Alter von neununddreißig Jahren an Kinderlähmung erkrankt und seither von den Hüften abwärts gelähmt war, an Bord und warf seine Angelleine aus. Er fing einen sechzig Kilogramm schweren Schwertfisch. Der Präsident ließ den Fisch auf Eis nach Washington verfrachten, wo er ausgestopft im Weißen Haus aufgehängt wurde.

1968 beschloss die Regierung Costa Ricas, keine Bewilligungen für Schatzgräber mehr auszustellen, und stationierte als Wache einen Trupp Nationalgardisten auf der Insel. Trotzdem riss der Strom der Abenteurer nicht ab; manche ließen sich heimlich von Fischkuttern oder Langustenfischern an die unbewachte Südküste bringen und gelangten schwimmend ans Ufer; andere erkauften sich für teures Geld Sondergenehmigungen, und manche gaben sich als harmlose Sporttaucher, Ornithologen oder Botaniker aus, um sich Zutritt zur Insel zu verschaffen. In den sechziger Jahren kamen drei junge Franzosen auf die Idee, dass der Schatz gerade nicht in einer der zwei schiffbaren Buchten versteckt sein könnte, sondern im Gegenteil inmitten der gefährlichen Basaltklippen am entgegengesetzten Ende der Insel. 1978 entdeckte ein costaricanischer Soldat mitten im Dschungel das Wrack eines US-Air-Force-Bombers, der seit 1943 als vermisst galt. Im Dezember 1980 verbrachte der deutsche Wellkartonfabrikant Richard Gissler aus Jülich, der von seinem Großonkel August Gissler eine Schatzkarte geerbt hatte, in Begleitung seiner Tochter Claudia vier Tage auf der Insel. 1982 traf der Münchner Abenteurer Reinhold Ostler zusammen mit drei Freunden und anderthalb Tonnen Gepäck ein, wovon einen schönen Teil die tausend Dosen Bier ausmachten, die eine Münchner Brauerei gespendet hatte. Nur geringen Nutzen aber brachten die ebenfalls mitgebrachten Metalldetektoren. Zwar hatte die Industrie seit den Tagen Sir Malcolm Campbells ausgesprochen zuverlässige und preiswerte Apparate entwickelt; in der Zwischenzeit aber hatten Heerscharen von Abenteurern auf Cocos Island derart viele Spitzhacken, Schaufeln und Dosen zurückgelassen, dass im fraglichen Gebiet auf Schritt und Tritt Metallfunde zu verzeichnen waren.

Heute ist die Gegend um Chatham und Waver Bay übersät mit geheimnisvollen Zeichen: rätselhaften Einkerbungen an hundertjährigen Baumstämmen, kleinen Pfeilen an Felswänden und Kreuzen auf verwitterten Schiffsplanken. In den Dschungelboden haben Schatzsucher Hunderte von Gruben gegraben, die viele Meter tief und teils dicht überwuchert sind und in denen man sich leicht ein Bein brechen kann. Am Rand des Dschungels stehen Baracken in allen Stadien der Zersetzung, und an den Stränden ist kaum ein größerer Kiesel übrig geblieben, auf dem nicht ein erfolgloser Schatzsucher seinen Namen verewigt hätte.

5 Die Schatzinsel

Woche um Woche verbummelte Louis am Hafen von San Francisco in Erwartung von Fannys Scheidungstermin. Bis zur Niederschrift der «Schatzinsel» sollte es noch zwei Jahre dauern. Er hustete und litt unter Fieberschüben, und sein faulendes Gebiss bereitete ihm unsägliche Schmerzen. Den Weihnachtsabend verbrachte er einsam in einem billigen Restaurant; vier Tage lang sprach er mit keiner Menschenseele außer mit der Zimmerwirtin. Die finanziellen Aussichten waren düster. Das letzte Geld schmolz dahin, neues war nicht zu erwarten, und von den sittenstrengen Eltern war keine Hilfe zu erhoffen; wahrscheinlicher war, dass sie Louis, weil er mit einer verheirateten Frau in Sünde lebte, enterben würden. «Es ist mir ganz recht, dass sie mich enterben ... ich habe ererbtes Geld stets für moralisch zweifelhaft gehalten. Dieses Problem bin ich nun ein für alle Mal los.»

Louis reduzierte seine täglichen Ausgaben fürs Essen von fünfundvierzig auf fünfundzwanzig Cents. Er machte neuerliche Vorstellungsbesuche bei den Zeitungsredaktionen. Er begann ein Theaterstück mit dem Titel «Die Schieferplatte», das aber nie sehr weit gedieh. Schließlich bat er seinen Freund Charles Baxter in Edinburgh, all seine Bücher zu verkaufen und ihm den Erlös nach Kalifornien zu schicken.

Im Januar 1880 wurde endlich die Ehe von Fanny und Samuel Osbourne geschieden, und für Louis war der Weg zum Traualtar frei. In jenen Tagen hustete er aber auch erstmals Blut, und zwar etwa einen halben Liter. Sein Mund war voller Blut, und er konnte nicht mehr sprechen. Der eilends herbeigezogene Arzt stellte Tuberkulose im finalen Stadium fest – ein Todesurteil, das der Kranke erstaunlich gleichmütig entgegennahm. «Ich weiß, dass ich nur noch zur Probe hier bin. Wenn ich den nächsten Winter überstehe, habe ich Grund zur Zuversicht; andrerseits ist es genau so gut möglich, dass ich den nächsten Frühling nicht mehr erlebe. Umso wichtiger ist mir deshalb, dass Fanny meinen Vater und meine Mutter kennen lernt; die sind Gottseidank wohlhabend, und so wird sie auch nach meinem Tod besser dastehen als sonst je in ihrem Leben.»

Aber dann kam der Frühling 1880, und alles wurde gut; denn zu Hause in Schottland hatten Louis' Eltern der Zeitung entnehmen müssen, dass ihr einziger Sohn in Amerika sterbenskrank darniederliege. Sie waren entsetzt. «Unsere Briefe und die zwanzig Pfund, die wir dir geschickt haben, sind aus New York retourniert worden», schrieb der Vater. Die Mutter rügte Louis, dass er «solche Risiken» auf sich nehme, und empfahl dem Mittellosen, zur Stärkung recht viel Champagner zu trinken. «Eines musst du wissen: Solange wir noch einen Penny haben, soll es dir an nichts fehlen.» Was die zukünftige Schwiegertochter betraf, so beurteilten Margaret und Thomas Stevenson diese jetzt, da sie sich nun immerhin hatte scheiden lassen – und zwar Gottseidank nicht in

Edinburgh, sondern in zehntausend Kilometer Entfernung – und also sozusagen wieder ledig war, wesentlich milder. Die Mutter teilte Louis mit, dass die Braut bei ihnen willkommen sei. Der Vater gab zu bedenken, dass es schicklich wäre, zwischen Scheidung und neuerlicher Trauung eine möglichst lange Frist verstreichen zu lassen. Und schließlich ließ er Louis telegraphisch wissen, dass er ihm ab sofort eine jährliche Pension von zweihundertfünfzig Pfund ausrichte und dass eine Teilzahlung unterwegs sei.

Als Erstes ließ sich Louis seine sämtlichen morschen Zähne ziehen und ein künstliches Gebiss anfertigen. Er kaufte zwei schlichte, silberne Eheringe und besorgte die Eheerlaubnis. Er mietete eine anständige Unterkunft für Fanny und Lloyd und ihre Pferde, und er ließ Samuel Osbourne wissen, dass er von allen finanziellen Pflichten entbunden sei. An einem Frühlingsabend Anfang Mai besuchte er mit Fanny die komische Oper «The Pirates of Penzance», die jeden Abend vor ausverkauften Rängen im Bush Street Theater gegeben wurde. Und am 19. Mai 1880 wurden Robert Louis Stevenson und Frances Mathilda Osbourne, geborene Van de Grift, in der Wohnung von Reverend William Scott an der Post Street 521 getraut. Der Pfarrer war Schotte und Presbyterianer und auch sonst ein Mann nach Louis' Geschmack; in jungen Jahren war er als Feldprediger unter Abraham Lincoln in den Krieg gegen die Black-Hawk-Indianer gezogen, hatte dann viele Jahre sein Brot als Rodeoreiter in Tennessee verdient, bevor er sich 1852 in San Francisco niederließ, um zwei Kirchen zu bauen und elf religiöse Bücher zu schreiben. Man kann vermuten, dass der lebenskluge Priester dem Hochzeitspaar, das man eher für Mutter und Sohn halten konnte, ebenfalls mit Zuneigung begegnete, oder zumindest mit Nachsicht. Denn als er beim Ausfüllen der Heiratsurkunde zur heiklen Rubrik «Zivilstand» gelangte, verschonte er die Braut – vielleicht auf ihren ausdrücklichen Wunsch – vor dem Stigma der Geschiedenen und notierte rücksichtsvoll «verwitwet». Gut möglich, dass Fanny oder Louis auch den Zeitungsleuten diktierten, was sie zu schreiben hatten. Die Heiratsanzeige in der «Oakland Tribune» vom 22. Mai 1880 jedenfalls bezeichnet die Braut als «Miss Fannie Osbourne, of Oakland.»

Sam Osbourne blieb Fanny und den Kindern auch nach der Scheidung freundschaftlich und väterlich verbunden. Für den minderjährigen Lloyd kam er zuverlässig auf und schrieb ihm wöchentlich warmherzige Briefe, in denen er sich oft nach Fannys Befinden erkundigte. Drei Jahre später heiratete er in San Francisco ein Mädchen namens Rebecca Paul, das er «Pauly» nannte. Sein Brot verdiente er weiterhin als Gerichtsschreiber, bis er am 28. März 1887 Hut und Mantel nahm, um zur Arbeit zu gehen, unter der Tür seine Pauly um Zubereitung eines Mittagessens bat – und nie wieder auftauchte. Sein Verschwinden warf in der Presse hohe Wellen. Manche vermuteten eine Frauengeschichte, andere eine Entführung, und jemand behauptete gar, Sam sei in Afrika gesehen worden. Nach ein paar Monaten schließlich verstummten alle Gerüchte, als am Strand ein verwittertes Bündel Kleider gefunden wurde. Dass es Samuel Osbourne gehört hatte, konnte niemand mit Sicherheit sagen; seine Freunde aber waren überzeugt, dass der lebenslang Einsame ins Wasser gegangen war.

Für Fanny und Louis begann am Hochzeitstag eine zehnjährige Odyssee über drei Kontinente und den halben Erdball, von einer Lungenklinik zur nächsten, von Schottland zweimal in die Alpen und zurück, dann nach Südfrankreich und quer über den amerikanischen Kontinent – eine einzige rastlose Reise, die erst an jenem Dezembermorgen 1889 zu einem Ende gelangen sollte, da die *Equator* die Küste Samoas erreichte. Jeder einzelne Tag ihres Ehelebens war geprägt von Louis' Krankheit und Fannys mütterlich-strenger Fürsorglichkeit; kein Mensch hat je beobachtet, dass sie ein unbeschwert liebendes, leidenschaftliches oder zärtliches Paar gewesen wären. Hingegen gibt es auch keinen Hinweis auf ein eheliches Zerwürfnis, das länger als einen Tag oder eine Nacht gedauert hätte, denn die beiden waren einander in ihrer ganzen Widersprüchlichkeit treu ergeben; Louis, der ichbezogene Künstler, dessen Gesundheitszustand den Lebensweg einer ganzen Familie diktierte, der sich in den kleinen Dingen des Alltags aber gefügig dem Willen der Frau beugte; Fanny, die herrschsüchtige Matrone, die sich demütig in die Aufgabe ergab, dem zerbrechlichen Jüngling tagtäglich das Leben zu retten. Fanny bestimmte Louis' Speisepläne, verhandelte mit den Ärzten, entschied sich für diesen oder jenen Kuraufenthalt. Sie wurde wütend, wenn seine Freunde spätabends nicht gehen wollten, und achtete darauf, dass er sich warm anzog, wenn er aus dem Haus ging. Nur auf einen Gedanken kam sie, die selber eine starke Raucherin war, nie: dass es für seine angegriffenen Atmungsorgane schädlich sein könnte, an jedem Tag des Jahres von morgens früh bis abends spät pausenlos Zigaretten zu rauchen.

Weil Louis' Lungen in jenem Mai 1880 noch immer besorgniserregend rasselten, beschloss Fanny, dass es nicht gut sei, die Flitterwochen in der nebligen Seeluft San Franciscos zu verbringen. Für eine Reise war Louis zu schwach, und für einen Kuraufenthalt im nahe gelegenen Thermalbad von Calistoga am Fuß des Mount Helena fehlte das Geld. Also quartierten sich Louis, Fanny und Lloyd für zwei Monate kostenlos noch höher am Berg in einer verlassenen Silbermine ein. Es mochte fünf oder zehn Jahre her sein, dass die letzten Arbeiter die Mine verlassen hatten. Zurückgeblieben waren ein tiefer Canyon, eine atemberaubende Aussicht und eine hölzerne Plattform am Hang, auf der eine Baracke stand. Überall lag faulendes Holz und rostendes Eisen umher, und unter dem Gras lagen Schienenstränge, die in zerfallende Schächte führten, in denen ein kühler, feuchter Wind ging. In der Baracke lagen alte Kleider, kaputtes Werkzeug, umgestoßene Möbel. Fanny machte sich umgehend ans Werk. Mit hausfraulicher Entschlossenheit stellte sie dies zurück an seinen Platz, nagelte das wieder zusammen und hängte jenes an die Wand, und dann kehrte und putzte und wusch sie, bis in der Baracke eine gewisse Wohnlichkeit hergestellt war. Dabei war ihr Louis, der in einem Haushalt voller Dienstmädchen aufgewachsen war, keine große Hilfe. Nach einem ersten Augenschein riss er eine kleine Gifteiche aus, die zwischen den Bodenbrettern spross, überließ dann alles weitere der Frau und schaute sich in der Gegend um. Begeistert hielt er im Notizbuch fest, dass es hier «Böcke, Bären und Klapperschlangen» gebe.

Im heißen und trockenen Bergklima erholte er sich rasch. Vier oder fünf Stunden täglich brütete er über seinen Manuskripten, ohne allerdings viel zustande zu bringen. Fanny gab acht, dass er sich nicht überanstrengte, und verbot ihm jeden Spaziergang. Er hustete von Tag zu Tag weniger, aß mehr und legte wohl auch an Gewicht zu. «Es geht mir wirklich besser», berichtete er am 30. Juni seiner leiblichen Mutter. «Ich darf überhaupt nichts tun, darf mich nicht vom Haus entfernen und keinen Streich arbeiten ...» Ein paar Tage später berichtete Fanny der Schwiegermutter: «Was das Aussehen meines lieben Jungen betrifft, so geht es ihm wunderbarerweise von Tag zu Tag besser. Ich stelle mir vor, dass Sie in jenem Augenblick, da Sie ihn wiedersehen, sich kaum mehr werden vorstellen können, dass er jemals krank war. Ich gebe mir alle Mühe, mich gut um ihn zu kümmern; der alte Doktor sagt, meine Pflege habe ihm das Leben gerettet.»

Ende Juli schließlich machten sich Fanny, Louis und Lloyd auf den weiten Weg nach Schottland. Dank der Großzügigkeit der Eltern reisten sie Erster Klasse – im Schlafwagen von San Francisco nach New York, dann am Oberdeck der *City of Chester* über den Atlantik. Am 17. August 1880, genau ein Jahr und zehn Tage nach seiner Abreise an Bord der *Vedonia*, war Louis wieder zu Hause. Am Hafen von Liverpool standen Margaret und Thomas Stevenson, bereit zur versöhnlichen Umarmung.

Ein weiteres Jahr später kam der Tag, an dem Louis in die Weltliteratur eingehen sollte. Er saß am Kaminfeuer in einem Cottage in Braemar im schottischen Hochland, das seine Eltern für den Sommer gemietet hatten. Um den Hals hatte er einen Schal gewickelt, um die Beine eine Wolldecke. «Hier bin ich nun in meinem Heimatland, draußen gehen lieblich Wind und Hagel, und ich rücke näher und näher ans Feuer.» In jenem Sommer 1881, der sogar für schottische Verhältnisse ein außergewöhnlich regnerischer war, hatte sich Louis' Gesundheitszustand wieder einmal dramatisch verschlechtert; der Arzt hatte ihm verboten, bei diesem Wetter ins Freie zu gehen. Woche um Woche saß er brav am Kaminfeuer, schrieb und las, schrieb und las; und als er trotzdem einen Blutsturz erlitt, untersagte ihm der Arzt, in der ersten Tageshälfte überhaupt noch ein Wort zu sprechen. Wenn er etwas Dringendes zu sagen hatte, teilte er sich in einer selbst erfundenen Zeichensprache mit. So wurde es still im Haus. Fanny und Louis' Mutter Margaret beschäftigten sich im Haushalt, Vater Thomas Stevenson war tagsüber außer Haus, und Lloyd, mittlerweile ein hoch aufgeschossener Junge von zwölf Jahren, vertrieb sich die Zeit mit Bleistift und Wasserfarben. Für einigen Betrieb sorgte einzig der kleine braune Skyeterrier, den Fanny als Hochzeitsgeschenk von Louis' Freund Walter Simpson erhalten hatte. Der Hund war hübsch und lebhaft und schlecht erzogen, und Fanny nannte ihn nach dem Spender Walter, später dann Woggs, Woggy, Watty oder Wiggs.

Es muss an einem der letzten Tage im August 1881 gewesen sein, als Louis von Lloyd Papier und Bleistift lieh und seinerseits eine Zeichnung anfertigte. Was er zeichnete, stellte eine Landkarte dar. Eine kleine, unbewohnte Insel, «neun Meilen lang und fünf breit, in der Form eines fetten Drachens, der aufrecht steht, könnte man sagen, und hatte zwei schöne, vom Land umschlossene Häfen und einen Berg in der Mitte, der als ‹Fernrohrhügel› markiert war.» In der einen Bucht lag ein dreimastiger Schoner vor Anker. Im Westen und Süden gab es starke Strömungen, die eine Landung fast unmöglich machten, und die Brandung schlug gegen schroffe graue Klippen, über denen sich dichter Urwald türmte. Louis griff nach den Wasserfarben und färbte den Ozean blau, den Dschungel grün, die Schiffsplanken braun. Dann machte er ein rotes Kreuz und schrieb daneben in kleiner, zierlicher Handschrift: Hauptschatz hier. Und dann überschrieb er sein Werk mit: «Die Schatzinsel.»

«Während ich meine Karte von der Schatzinsel betrachtete, tauchten aus dem Unterholz plötzlich die Figuren des Buches auf. Braune Gesichter und glänzende Waffen blitzten an den unverhofftesten Stellen hervor, während sie auf dem flachen Papier hin und her huschten und nach dem Schatz jagten. Bevor ich wusste, wie mir geschah, hatte ich schon ein Blatt vor mir und schrieb ein Inhaltsverzeichnis nieder.»

An jenem Tag setzte Louis sich hin und schrieb das erste Kapitel, und nach dem Abendessen trug er es Lloyd vor. Am zweiten Tag schrieb er das zweite Kapitel und gab es wiederum nach dem Abendessen zum Besten, am dritten Tag das dritte. «Das Ganze war als schlichtes Vergnügen für einen Jungen gedacht, der wegen des schlechten Wetters zu häuslicher Untätigkeit verdammt war», erinnerte sich Fanny. Bald aber bemerkte Louis, dass nebst Lloyd ein zweiter, wesentlich älterer Junge an seinen Lippen hing. «Mein Vater war sofort Feuer und Flamme ... er hörte sich nicht nur selig täglich das neue Kapitel an, sondern machte sich aktiv an die Mitarbeit.» Thomas Stevenson stellte den Inhalt von Billy Bones Kiste zusammen, taufte Kapitän Flints altes Schiff auf den Namen *Walrus* und gab die Anregung zu der Szene, in welcher der Held der Geschichte, der zwölfjährige Jim Hawkins, sich in einem Apfelfass versteckt und die Seeräuber belauscht.

Es folgten glückliche Tage im verregneten Braemar. Zufällig ergab es sich, dass Louis' Freunde Colvin und Gosse zu Besuch kamen; und weil die Bewohner des Cottages einander vertraut waren, bildete sich rasch ein angenehm einförmiger Tagesablauf heraus – wobei es für alle Anwesenden selbstverständlich war, dass im Zentrum des Geschehens allezeit der kranke Künstler stand. Den Morgen verbrachte er jeweils im Bett. Da es ihm in der ersten Tageshälfte verboten war zu sprechen, spielten Colvin und Gosse abwechselnd Schach mit ihm. Wenn er des Spiels müde war, schob er das Brett beiseite und verlangte nach seinem Schreibwerkzeug; dann durfte man ihn bis zum Abendessen nicht mehr stören. Nach dem Essen versammelte sich die Gesellschaft im Salon, und Louis trug vor, was er tagsüber geschrieben hatte. «Ich kann mich an kein größeres Vergnügen erinnern als an jene kalten Nächte in Braemar», schrieb viele Jahre später Edmund Gosse, «in denen draußen der Wind heulte und Graupelregen gegen die Fenster schlug, während Louis seinen knospenden Roman im Licht der Öllampe vortrug, und wie er bei dramatischen Szenen die Stimme hob und mit den Händen gestikulierte.»

So kam die Geschichte rasch voran. Im ersten Kapitel betrat der alte Seebär Billy Bones die Szene. Im zweiten fand Jim Hawkins die Schatzkarte. Im zehnten Kapitel stach Jim mit der Karte in südwestlicher Richtung in See, und im zwölften tauchte nach langer Fahrt aus dem Nebel steil und kegelförmig die Schatzinsel auf. Im dreizehnten Kapitel gingen die Schatzsucher an Land, im vierzehnten ereignete sich der erste Mord, im fünfzehnten tauchte der Inselmensch Ben Gunn auf, der drei Jahre seines Lebens mutterseelenallein auf der Insel verbracht hatte ... und dann wusste Robert Louis Stevenson plötzlich nicht mehr weiter. «Fünfzehn Tage hatte ich daran gearbeitet und fünfzehn Kapitel geschrieben, und dann verlor ich bei den ersten Abschnitten des sechzehnten schmählich den Faden. Mein Mund war trocken, und in meiner Brust war kein einziges Wort mehr über die Schatzinsel.»

Vielleicht hatte Louis sich in den ersten fünfzehn Tagen zu sehr verausgabt und war mit seinen Kräften am Ende; vielleicht litt er auch unter gewöhnlichem Schreibstau, der bekanntlich ebenso schwer zu erklären ist wie dessen Gegenteil, der schöpferische Akt. Das Versiegen der Worte war umso unangenehmer, als Louis den Roman bereits als Fortsetzungsgeschichte an die Londoner Jugendzeitschrift «Young Folks» verkauft hatte, die das erste Kapitel schon in zwei Wochen, am 1. Oktober 1881, veröffentlichen wollte. Louis tat, was Schriftsteller in solchen Lebenslagen nun mal tun. Er wagte sich wieder aus dem Haus und ging spazieren, betrank sich mit den Freunden, machte einen Ausflug nach Edinburgh. Das half ein wenig, aber nicht sehr; zwar vollendete er das sechzehnte Kapitel, in dem sich der Kampf zwischen den Getreuen und den Meuterern anbahnt, dann auch das siebzehnte, in dem sich der Kampf weiter anbahnt, sowie das achzehnte, in dem es einen Toten gibt, und das neunzehnte und das zwanzigste, in denen ziemlich viel geschossen wird. Aber zum alten Schwung von einem Kapitel pro Tag fand er nicht mehr zurück; und zahllose Leser haben seither empfunden, dass die Geschichte in diesen Kapiteln seltsam auf der Stelle tritt.

Schließlich half, was Dichtern in Not häufig hilft: ein Ortswechsel. Bis Ende September hatte sich Louis' Gesundheitszustand so sehr verschlechtert, dass man erneut um sein Leben fürchten musste. Es wurde beschlossen, dass er den Winter, wie schon im Jahr zuvor, in Davos zur Kur verbringen sollte. Fanny, Louis und Lloyd reisten über Edinburgh, London und Paris in die Schweiz und trafen am 18. Oktober abends in Davos ein.

In jenem Winter 1881 war der alpine Skitourismus noch nicht erfunden; es sollte noch sieben Jahre dauern, bis ein lungenkranker britischer Offizier seinen norwegischen Kammerdiener nach Davos mitnahm, welcher ein Paar Ski im Gepäck hatte und diese bei der Abreise zurückließ. Als Fanny, Louis und Lloyd in achtstündiger Schlittenfahrt vom Bahnhof Landquart durchs Prättigau hinauf zur Lungenklinik fuhren, waren die Schweizer Alpen noch kein Rummelplatz, sondern ein Ort von stiller, lebensfeindlicher Schönheit. Einsam und allein stand Davos in der kahlen, windigen Hochebene des Landwassertals zwischen schneebedeckten Bergspitzen – eine verstreute Hand voll Bauernhäuser und Scheunen, ein paar Hotels und Sanatorien, die bevölkert waren von halbtoten Tuberkulosekranken, die mehr oder weniger diszipliniert die Anweisungen des weltberühmten Lungenarztes Carl Rüedi befolgten.

Im Unterschied zum Winter zuvor quartierten sich die Stevensons nicht im Hotel «Belvedere» ein, sondern bezogen das Chalet «Am Stein», das sich am Rand des Dorfes in den Windschatten eines mächtigen Felsbrockens duckte. Was Louis betraf, so schickte er sich nicht ungern in Doktor Rüedis Diät, die ihm nebst täglichen kalten Duschen den Genuss von viel Milch, rotem Fleisch und Veltliner Rotwein vorschrieb. Eher widerwillig befolgte er das Zigarettenverbot, ebenso die Beschränkung auf höchstens drei Stunden Arbeit pro Tag. Die übrige Zeit hatte er wie alle anderen Kurgäste ruhend im Liegestuhl auf dem Balkon oder mit körperlicher Ertüchtigung zu verbringen, welche hauptsächlich aus kurzatmigen Spaziergängen auf den immergleichen Trampelpfaden hinauf zu den Lärchenwäldern bestand. Mit soldatischer Disziplin unternahm Louis Tag für Tag die von Doktor Rüedi verordneten Spaziergänge und zerrte jeweils seinen Skyeterrier Woggs hinter sich her. Schon bald stellte er fest, dass er an den immergleichen Stellen die immergleichen Leidensgenossen kreuzte und dass der Schnee an den immergleichen Stellen mit dem Urin der immergleichen Hunde bespritzt war und dass an den immergleichen Stellen, an denen die immergleichen Dauerpatienten ihre kleinen Hustenanfälle hatten, der Schnee zuweilen rot gesprenkelt war.

In den ersten Wochen ihres siebenmonatigen Aufenthaltes ging es den Stevensons nicht gut. Louis hustete Blut. Fanny litt an Gallensteinen. Lloyd hatte Grippe und brach sich einen Finger. Woggle litt an einem schmerzhaften Abszess am rechten Ohr, der von niemandem anders als von Louis behandelt werden durfte. Trotz aller Mühsal aber kehrte Louis' schöpferische Kraft zurück. Es muss an einem Oktobermorgen wenige Tage nach der Ankunft gewesen sein, als er den unfertigen Roman aus dem Gepäck holte, um seine erlaubten drei Stunden zu arbeiten – «und siehe da! Die Worte strömten wieder leicht aus mir heraus wie bei einem traulichen Gespräch am Kaminfeuer; und so beendete ich die ‹Schatzinsel› in einer zweiten Welle vergnügter Fleißarbeit und wiederum im Takt von einem Kapitel pro Tag.»

Louis benötigte vierzehn Tage, um die restlichen vierzehn Kapitel zu schreiben. Als die Geschichte zu Ende war, hatte das Skelett seinen Auftritt gehabt. Die Schatzkarte hatte sich als wertlos erwiesen, und der Hauptschatz war an überraschender Stelle gefunden worden; insgesamt siebzehn Meuterer hatten ihr Leben gelassen, und als die *Hispaniola* schwer mit Gold beladen Anker lichtete und Kurs auf «den nächsten Hafen in Spanisch-Amerika» nahm, überließ sie die drei überlebenden Piraten auf der unwirtlichen Insel ihrem Schicksal. Am fünfzehnten Tag las Louis alles noch einmal durch. Er sah, dass es gut war, steckte die Papierbögen in einen Umschlag und schickte sie nach London. Am 22. November 1881 überwies ihm der Verleger ein Honorar von dreißig Pfund.

Es versteht sich von selbst, dass in der verschneiten Schweizer Bergwelt kein Hinweis auf die Frage zu finden ist, ob Robert Louis Stevenson für seine Schatzinsel ein reales Vorbild im Auge hatte. In Davos bekam er wohl Bergdohlen und Pferdeschlitten zu sehen, aber keine Papageien und keine Piratenschiffe; und das Panorama, das sich Louis vom Balkon des Chalet «Am Stein» aus darbot – der Rhaetikon im Norden, der Piz d'Aela, das Tinzenhorn und der Piz Michel im Süden – erinnert in nichts an tropische Inselwelten. Eine Kleinigkeit jedoch ist der Erwähnung wert: dass Louis in den Monaten nach der Niederschrift seinem Hund Woggs, der die Familie nun schon das zweite Jahr treu überall hin begleitete, einen neuen Namen verpasste. So was tut man üblicherweise nicht, denn es ist für alle Beteiligten schwer, einen gewohnten Namen zu vergessen und sich an einen neuen zu gewöhnen. Woggle aber hieß nun plötzlich nicht mehr Woggle, auch nicht Woggs, Woggy, Watty oder Wiggs, was alles Koseformen des ursprünglichen «Walter» gewesen sein mögen, sondern: Bogue.

Bogue – das ist ein im englischen Sprachraum eher seltener Familienname, und als Rufname für einen Skyeterrier war er auch im 19. Jahrhundert nicht gebräuchlich. Weshalb Louis die Mühsal auf sich nahm, den neuen

Namen durchzusetzen bei Fanny, Lloyd und dem Umge-
tauften selbst, wird wohl ewig sein Geheimnis bleiben.
Als Hommage an einen Freund oder Verwandten wird
der Name kaum gedacht gewesen sein, denn in Stevensons Leben ist, soweit bekannt, nie ein Mensch namens
Bogue aufgetaucht. Auch in den Davoser Gästebüchern
ist niemand dieses Namens registriert, und in Stevensons
Werk findet sich keine Romanfigur, die so heißt. Weit
und breit ist nirgendwo ein Bogue zu finden – außer auf
einer kleinen Vulkaninsel im Pazifischen Ozean vor der
Küste Costa Ricas. Auch wenn Louis hundertmal geschworen hat, dass «Die Schatzinsel» kein reales Vorbild
habe, so kann doch der Name, den er seinem Hund verpasste, kaum anders denn als Hinweis darauf gedeutet
werden, dass Stevenson die Geschichte von Cocos Island sehr genau kannte. Denn Bogue ist – wie bereits erwähnt – der Name jenes Mannes, der seine Treue zum
Schatzsucher John Keating mit dem Leben bezahlte, als
er vor Cocos Island entweder über Bord geworfen, erschossen oder lebendigen Leibes in der Goldhöhle begraben wurde, und dessen Skelett – vielleicht – bis auf den
heutigen Tag den Kirchenschatz von Lima bewacht.

Der lebhafte kleine Skyeterrier sollte mit dem neuen
Namen noch vier Jahre leben. Im Frühling 1885 atta-
ckierte Bogue in der Hundeklinik von Bornemouth, England, einen wesentlich größeren Hund und bezahlte seine
Kühnheit mit dem Leben. Fanny, Lloyd und Louis waren
untröstlich. Die Familie hat nie wieder einen Hund angeschafft.

6 «Ich will das Beste hoffen»

Die allermeisten Glücksritter und Schatzsucher haben es auf Cocos Island nur ein paar Tage ausgehalten, einige drei oder vier Wochen, und nur eine Hand voll blieb über Monate. Einer aber hat sie alle geschlagen, und zwar haushoch, himmelweit – zwar nicht, was den Erfolg betrifft, aber auf dem Gebiet von Ausdauer und Beharrlichkeit.

Vielleicht war es nicht ganz zufälligerweise ein Deutscher, der begriff, dass man beim Schatzsuchen nicht Lotto spielen, sondern methodisch vorgehen muss. Er hieß August Gissler und war Matrose von Beruf. Als er im Herbst 1888 zum ersten Mal den Fuß auf Cocos Island setzte, war er einunddreißig Jahre alt. Siebenundsechzig Jahre waren vergangen, seit der Kirchenschatz von Lima verschwunden war; vierzig Jahre war es her, dass die ersten Schatzkarten in Umlauf gekommen waren, und neun Jahre, seit Robert Louis Stevenson im «San Francisco Call» von den erfolglosen Schatzinsel-Expeditionen gelesen hatte. Das aber wusste August Gissler nicht, als er seinerseits in den Besitz einer Schatzkarte gelangte. Er glaubte, dass seine Karte einzigartig und echt sei; und als er seinen Irrtum erkannte, konnte er ihn nicht mehr zugeben und gab fast zwanzig Jahre seines Lebens für die Schatzsuche auf Cocos Island hin.

Geboren war August Gissler am 19. September 1857 in

Remscheid bei Solingen, als drittes von elf Kindern eines mittelständischen Messerfabrikanten. Der Vater hatte sich gewünscht, dass die Söhne dereinst die Firma übernähmen und sie eines fernen Tages ihren Söhnen weitergäben. Der erste Sohn Hermann erfüllte und übertraf diese Hoffnungen*; der zweitgeborene August aber gar nicht. Sei es, dass er nicht ewig der Junior im Unternehmen des Patriarchen bleiben wollte und der kleine Bruder des Erstgeborenen oder dass ihm davor graute, ein Leben als Kaufmann in Remscheid zu fristen – jedenfalls verschwand er im Alter von vielleicht zwanzig Jahren über Nacht und fuhr als Matrose zur See, worauf die Familie zehn Jahre nichts mehr von ihm hörte. Wie es scheint, ging er nach einiger Zeit in Hawaii an Land und kaufte eine kleine Zuckerrohrplantage neben einem aus Deutschland eingewanderten Pflanzer namens Barthels. Gissler lebte still und kärglich und arbeitete hart auf seinen Feldern. Die Sonntage verbrachte er im Haus von Barthels, der eine Hawaiianerin geheiratet und mit ihr eine Familie gegründet hatte. Eines Sonntags nun zeigte ihm Barthels eine Schatzkarte, die angeblich seinem hawaiianischen Schwiegervater gehörte, welcher angeblich in jungen Jahren zur See gefahren war. Die Karte stellte eine kleine Insel dar, auf welcher der Kirchenschatz von Lima vergraben liegen sollte, und zwar in einer kleinen Bucht im Nordwesten und in sechs Fuß Tiefe.

* Hermann Gissler (1856–1919) ist der Gründer der Firma Gissler & Pass in Jülich, der ältesten und größten Produzentin von Wellkarton in Deutschland, die heute in vierter Generation geführt wird von Thomas Gissler-Weber.

August Gissler glaubte das alles. Er war Feuer und Flamme. Er ließ alles stehen und liegen, verkaufte seine Farm und fuhr am 18. Mai 1888 mit Barthels und dessen elfjährigem Sohn nach San Francisco, um ein Schiff zu kaufen, das ihn die viertausend Kilometer der amerikanischen Westküste entlang bis nach Cocos Island tragen sollte. Hochseetauglich sollte das Schiff sein und von zwei Männern und einem Elfjährigen zu handhaben; denn auf fremde Matrosen wollten die Schatzsucher aus Sicherheitsgründen verzichten. Sieben Wochen lang suchte Gissler im Hafen von San Francisco vergeblich nach einem geeigneten Schiff. Denn entweder war eine wesentlich größere Mannschaft erforderlich, oder man konnte nicht ausreichend Nutzlast zuladen, oder das Schiff war nicht hochseetauglich.

In jenen Tagen wollte es der Zufall, dass sich die Wege August Gisslers und Robert Louis Stevensons kreuzten. Louis war vom 7. bis 28. Juni 1888 in San Francisco, bevor er an Bord der *Casco* zu seiner Südseereise aufbrach, die anderthalb Jahre später in Samoa enden sollte. August traf am 3. Juni ein und blieb bis Ende Juli. Nichts deutet darauf hin, dass Gissler und Stevenson einander bewusst wahrgenommen hätten.

Schließlich nahmen Gissler, Barthels und dessen Sohn eine Schiffspassage auf einem Dampfer nach Costa Rica und gingen im wichtigsten Hafen des Landes, in Puntarenas, an Land. Zwar waren sie jetzt nur noch fünfhundert Kilometer von der Schatzinsel entfernt; im Hafen aber musste Gissler feststellen, dass das Geheimnis um Cocos Island längst keines mehr war.

«Da sind schon mehrere Expeditionen gewesen, um danach zu suchen», schrieb er in einem langen Brief an seine Familie in Remscheid. «Da soll nämlich ein alter Matrose im Hospital in New Bedford gestorben sein und vorher gesagt haben, dass er einer von den Piraten gewesen sei und das Gold auf der Kokosinsel begraben liegt. (...) Dann hörten wir von den Leuten, dass die hinter dem Gold her gewesen seien, hatten einen Mann an Bord gehabt, welcher sagte, er wisse, wo das Gold läge, wenn sie aber hinkamen und er es nicht finden konnte, so nach drei Wochen segelten sie ab und wollten den Schoner in Panama verkaufen, konnten aber nicht und kamen dann nach Puntarenas. Nun zeigten die Seeleute auf der Karte, wo sie schon gegraben hatten, die sagen, da sind Löcher, wo man ein Haus drin begraben kann, und dann frugen sie mich, wo wir gedächten zu graben. Ich zeigte ihnen nahebei, dann sagten sie, ich solle mir die Mühe ersparen, das wäre ungefähr dieselbe Stelle, wo sie gesucht hatten, und ungefähr eine halbe Meile herum ist alles umgegraben gewesen. Da soll nämlich das Piratendorf gestanden haben. Nun zeigt unser Plan aber an die andere Seite von der Insel. Somit habe ich noch mehr Zutrauen darin. Dann frug ich die Leute, wie es an der anderen Stelle aussähe. Die sagten, das ist alles bewachsen mit Schlingpflanzen, und von der Seite kann man gar nicht landen. Alles steile Felsen. Dass das Gold auf der Insel liegt, ist gar kein Zweifel, denn wenn solche Masse gefunden wäre, würde es bekannt sein, es sollen nämlich 20 bis 25 Millionen Dollar sein. Und das könnte nicht geheim gehalten werden. Ob wir es finden werden, ist eine große Frage, ich will das Beste hoffen, und dann ist keiner mehr von unserer Familie, der noch zu arbeiten braucht, das ist mal sicher.»

Unter diesen Umständen hätten Gissler und Barthels vernünftigerweise den Mut verlieren und nach Hause fahren sollen. Barthels tat dies denn auch, schiffte sich mit seinem Sohn nach San Francisco ein und kehrte zurück auf seine Plantage. Die Schatzkarte überließ er August Gissler, denn der wollte bleiben. Für ihn war die offenkundige Tatsache, dass es im Hafen von Puntarenas von Schatzsuchern nur so wimmelte, nichts weiter als ein zusätzlicher Beweis dafür, dass es den Schatz tatsächlich gab. Wenn ihn bisher niemand gefunden hatte, so konnte das nur daran liegen, dass alle am falschen Ort gesucht hatten. Acht Tage nach Barthels Abreise lief ein schwedischer Schoner in den Hafen, der Zedernholz nach Chile führte. Dem Kapitän fehlten sechs Mann Besatzung. August Gissler bot sich als Matrose an unter der Bedingung, dass das Schiff unterwegs zwei Wochen auf Cocos Island Halt machte.

«Am 19. September, gerade auf meinem Geburtstag, gingen wir dann in See, hatten aber sehr wenig Wind, bekamen Cocos Island in Sicht, aber Gegenwind und Strömung trieb nach der Bay von Panama wieder, dann versuchten wir ungefähr zwölf Tage lang, landeten immer, konnten aber nicht näher kommen; das Schiff war nämlich zu groß für unsere Besatzung. Ich wollte aber noch immer versuchen; der Kapitän sagte aber, er könnte sich nicht länger mehr aufhalten, er müsse machen, dass er nach Valparaiso käme, hatte aber nicht viel Proviant, hatte aber einen Bruder in Valparaiso, ein alter Kapitän, der hätte ein paar eigene Schiffe – der würde schon ein Schiff dazu hergeben und könnten wir uns Zeit lassen, auf der Insel womöglich ein paar Monate zu bleiben. So nach einer Fahrt kamen wir Anfang Dezember an ...»

In den dreiundsiebzig Tagen auf See hatte August Gissler reichlich Zeit, sein weiteres Vorgehen zu planen. Es war ihm nun klar, dass sein ursprünglicher Plan – möglichst allein und unbeobachtet im Segelboot nach Cocos Island zu fahren, rasch den Schatz zu heben und ebenso rasch und unerkannt wieder zu verschwinden – nicht zu verwirklichen war. Um Aussicht auf Erfolg zu haben, musste das Unternehmen in allen Belangen größer angelegt werden. Das Schiff musste seetauglich sein und groß genug, um viele Tonnen Gold und Edelsteine aufzunehmen. Dafür waren mindestens zehn Mann Besatzung nötig, und diese wollten verköstigt und entlohnt sein. August Gissler aber hatte kein Geld. Also überredete er in Valparaiso vierzehn Händler und Beamte, mit ihm eine Aktiengesellschaft zu gründen. «Wir haben für 3000 Dollar Aktien verkauft, um die Mehrkosten vom Schiffe zu bestreiten. Für jede 100 Dollar kriegen die Leute 20 000 Dollar, im Falle wir es finden, andernfalls verlieren sie das Geld. Das Geld ist meistens von den größeren Kaufleuten gezeichnet worden, eine deutsche Firma ‹Benaro› hat 400 Dollar gezeichnet. Nun, wie gesagt, geht es gut, sind wir gemachte Leute, andernfalls muss man auch zufrieden sein. Ihr braucht dieses ja nicht außerhalb der Familie wissen zu lassen, das könnt ihr ja immer noch, wenn wir es gefunden haben.»

Gissler charterte eine Barke von dreihundertfünfzig Tonnen, die *Wilhelmina*. Als sie in See stach, waren alle vierzehn Aktionäre mit an Bord. Mitte März 1889 lag die *Wilhelmina* in Chatham Bay vor Anker, und August Gissler setzte endlich zum ersten Mal den Fuß auf Cocos Island. Er nahm einen ersten Augenschein und kehrte zurück an Bord, breitete seine Schatzkarte vor sich aus und verglich sie mit dem Uferpanorama. Die zwei Berge östlich und westlich des Ankerplatzes fand er auf der Karte wieder. Von den Bergspitzen führten auf der Karte zwei Linien landeinwärts und kreuzten sich einige hundert Meter hinter der Bucht. Daneben stand in spanischer Sprache: «Hier haben wir 1821 einen sehr wertvollen Schatz vergraben. Nachdem wir den Schatz vergraben hatten, haben wir eine Kokospalme obendrauf gepflanzt und mit dem Kompass die Lage bestimmt. Der Schatz liegt N. E. by E 1/2 E. vom östlichen Berg und N. 10 deg. vom westlichen Berg.»

August Gissler und die Aktionäre gingen an Land, stellten ihre Zelte auf und schlugen Pfade durchs Dickicht. Sie drangen zum Kreuzungspunkt der zwei Linien vor, fällten hoffnungsfroh die darauf stehende Palme und begannen in der dampfenden Hitze des Regenwalds zu graben. Sie fällten eine zweite Palme und gruben ein zweites Loch, dann eine dritte Palme und eine vierte und eine fünfte, während es ohne Unterlass Tag und Nacht regnete. Nach einem Monat gingen die Vorräte zur Neige, und zehn von vierzehn Aktionären hatten genug und wollten heimreisen. August Gissler aber und drei weitere Männer wollten bleiben. Man teilte die verbliebenen Vorräte der *Wilhelmina* in vierzehn Teile und schaffte vier davon an Land. Die zehn entmutigten Schatzsucher versprachen, binnen drei Monaten mit neuen Vorräten zurückzukehren.

In der Zwischenzeit gruben die vier Unentwegten unter jeder Kokospalme, die auch nur halbwegs in der Nähe des Kreuzungspunkts stand, und zogen immer weitere Kreise. Eines Tages unterbrachen sie die Grabungen, um Schweine zu jagen, und stießen auf die von Schlingpflanzen überwachsene Ruine eines kleinen Holzhauses. An der Tür hing ein Zettel, auf dem in englischer und spanischer Sprache stand: «Am 31. Januar 1884 hat Kapitän Schwers, Kommandant des Dampfschiffs *Neko*, diese Insel unbewohnt vorgefunden und im Namen des deutschen Kaisers in Besitz genommen.» Die Schatzgräber entfernten die Schlingpflanzen und zogen ein.

Die *Wilhelmina* kehrte nicht wieder. Nach einem halben Jahr begannen Gissler und seine Männer zu fürchten, dass die anderen Aktionäre sie vergessen hätten. Also bauten sie ein Boot aus Baumstämmen und Lianen und Palmblättern, das sie zurück ans Festland bringen sollte. Aber gerade als im September 1889 das Boot zum Auslaufen bereit war, kehrten die Aktionäre zurück, wohl versehen mit Werkzeugen und Proviant. Die Männer machten sich aufs Neue an die Arbeit, fällten Palmen und gruben, fällten Palmen und gruben. Nach weiteren drei Monaten hatte Gissler ein Einsehen und fuhr mit allen Männern zurück nach Valparaiso.

Aber nicht für lange. Schon im Oktober 1890 hatte er seine Aktionäre von der Notwendigkeit einer neuer-

lichen Expedition überzeugt und ging, wesentlich großzügiger ausgestattet mit Werkzeug und Lebensmitteln
zum zweiten Mal in Waver Bay an Land. Diesmal hielten
die Männer vier Monate durch. Dann mussten sie sich eingestehen, dass die Schatzkarte keinen präzisen Hinweis
auf das Versteck gab. August Gissler seinerseits kam zu
einer wichtigen Erkenntnis: Er durfte nicht weiter den
Fehler seiner Vorgänger wiederholen, aufgrund zweifelhafter Schatzkarten und windiger Hinweise an immer
neuen Stellen auf gut Glück willkürliche Probebohrungen vorzunehmen. Die einzige vernünftige Methode würde darin bestehen, die Suche in konzentrischen Kreisen
immer weiter auszudehnen, und zwar über die ganze Insel, falls es nötig sein sollte. Nun war die Insel zwar – gemessen an der Weite des Ozeans – verschwindend klein;
gigantisch groß aber musste sie einem Mann erscheinen,
der sich anschickte, ihre gesamte Oberfläche mit Pickel
und Schaufel mehrere Meter tief umzugraben. Dafür
würde er Zeit brauchen – sehr viel mehr Zeit, als auch die
bestausgerüstete Expedition zur Verfügung haben konnte. August Gissler beschloss, sich fürs ganze Leben auf
Cocos Island niederzulassen.

Er fuhr zurück nach Puntarenas und weiter nach der
costaricanischen Hauptstadt San José, um von der Regierung eine Konzession für eine landwirtschaftliche Kolonie auf Cocos Island zu erlangen. Im Juli 1891 gewährte
ihm diese Präsident José Joaquín Rodrigez Zeledón unter der Bedingung, dass er fünfzig deutsche Familien als
Kolonisten auf Cocos Island ansiedelte. Darüber hinaus
überreichte der Präsident ihm eine Schatzkarte von Co

cos Island, die auf unbekannten Wegen in den Besitz der Regierung gelangt war. Sie sah Gisslers Schatzkarte ziemlich ähnlich, aber das Versteck lag ihr zufolge näher am Strand.

Im Winter 1891/92 reiste August Gissler nach Deutschland, um fünfzig Familien und neue Aktionäre anzuwerben. In der alten Heimat aber wollte sich niemand so recht von seiner Begeisterung für Piratenschätze und fruchtbare Vulkaninseln anstecken lassen. Nach vier Monaten fuhr er unverrichteter Dinge zurück nach New York, San Francisco und Puntarenas – und unternahm seine dritte Expedition nach Cocos Island. Wenn ihm schon keine Kolonisten folgen wollten, würde er eben noch einmal Lotto spielen und sein Glück mit der Schatzkarte der costaricanischen Regierung versuchen.

Die neue Grabungsstelle lag am Kiesstrand etwa fünfzehn Meter hinter der Flutlinie. Gissler grub, bis von allen Seiten Wasser einströmte und der Kies einbrach. Er wartete die Ebbe ab und grub weiter. Er staute einen nahe gelegenen Fluss und leitete ihn fernab von der Grabungsstelle ins Meer. Er stieß mit größter Mühe bis zu einer Tiefe von gut zwei Metern vor, wo er auf Grundwasser traf und nicht mehr weiterkam. Zu Recht nahm er an, dass die Piraten beim Vergraben mit den gleichen unüberwindlichen Schwierigkeiten hatten kämpfen müssen und dass der Schatz unmöglich noch tiefer liegen könne. Also grub er ein zweites Loch unmittelbar neben dem ersten, dann ein drittes und ein viertes und ein fünftes, und als er nach einem Monat einen guten Teil des Strandes umgegraben hatte, gab er auf.

Die Überfahrt ans Festland dauerte fünf Tage; Zeit genug für August Gissler, die Enttäuschung zu verkraften und beim geringsten Anlass neue Hoffnung zu schöpfen. Dieser bot sich gleich nach der Landung, als er im Hafen von Puntarenas im «New York Herald» einen Artikel über einen gewissen Mister Young aus Boston las, der angeblich ein Schwiegersohn von John Keating war und Näheres über die Lage des Kirchenschatzes von Lima zu wissen behauptete. August Gissler machte sich sofort auf den sechstausend Kilometer weiten Weg nach Boston, bezahlte Mister Young siebenhundert Dollar Informationsgebühr und sah beim ersten Blick auf dessen Karte, dass diese nichts taugte. Trotzdem kehrte er nach Puntarenas zurück und ließ sich vom Pazifik-Postschiff auf Cocos Island aussetzen gegen das Versprechen, ihn zwei Wochen später wieder abzuholen.

August Gissler brauchte keine zwei Wochen, um sich von der Nutzlosigkeit von Mister Youngs Schatzkarte zu überzeugen. Fünf Jahre waren vergangen, seit er seine Zuckerrohrplantage auf Hawaii verlassen hatte. All seine Ersparnisse waren längst aufgebraucht, ebenso das Kapital seiner Aktionäre; und alles, was er bisher gefunden hatte, waren zahlreiche Stellen auf Cocos Island, an denen der Schatz mit Sicherheit *nicht* war.

Als am 8. Mai 1894 Costa Rica mit Rafael Yglesias Castro einen neuen, jugendlichen Präsidenten wählte, verschaffte sich August Gissler eine Audienz. Um deutsche Siedler auf die Insel zu locken, müsse man ihnen Grundbesitz anbieten, erklärte er dem Zweiunddreißigjährigen; der Staat solle deshalb die westliche Hälfte von Cocos Island – also jene, auf der gemeinhin der Schatz vermutet wurde – ihm persönlich schenken, die östliche Hälfte aber in Parzellen für die Siedler bereithalten. Der Präsident konnte sich mit dem Vorschlag erst nicht richtig anfreunden, sagte aber schließlich zu.*

Da er nun faktisch Herr von Cocos Island war, unternahm August Gissler eine zweite, erfolgreichere Reise nach Deutschland. Erstens konnte er wohl seinen älteren Bruder Hermann sowie seine Schwestern Alma, Emmy, Anna und Johanna als Geldgeber gewinnen; darauf deutet zumindest der Umstand, dass er ihnen in seinem Testament weite Teile von Cocos Island vermachte. Zweitens heiratete er ein Mädchen, von dem nichts weiter bekannt ist, als dass es Clara hieß. Und drittens fand er sechs Familien, die gewillt waren, mit ihm eine deutsche Kolonie auf Cocos Island zu gründen. Das Pazifik-Postschiff setzte die Siedler am 13. Dezember 1894 in Chatham Bay an Land. Aus New York hatten sie Balken, Bretter, Nägel und anderes Baumaterial mitgebracht, dazu aus Panama Saatgut, Hühner, Enten und Truthähne. Als Erstes bauten sie Häuser, rodeteten Land und pflanzten Zuckerrohr, Bananen, Gemüse und Kaffee. Im Mai 1895 stießen vier weitere Familien und drei ledige Männer

* August Gissler erläuterte seinem Bruder Hermann brieflich die genauen Konditionen: «... nach diesem Kontrakt gibt mir die Regierung, im Falle ich den Schatz bis ersten Januar 1900 gefunden habe, 3000 Hektar Land auf der Insel als Eigentum und für jede Familie so viel als dieselben kultiviert haben, und noch die Hälfte mehr. Hier sind einige andere Leute, die bei der Regierung waren und wollten nach dem Schatz suchen. Da habe ich den

aus Deutschland zur Kolonie. Mehr als fünfzig Menschen lebten nun auf Cocos Island, so viele wie niemals zuvor. Die Regierung verlieh August Gissler die costaricanische Staatsbürgerschaft und ernannte ihn zum Gouverneur von Cocos Island. Zudem wurde vereinbart, dass monatlich ein Versorgungsschiff zur Insel fahren sollte.

Die deutschen Siedler hatten auf ein besseres Leben gehofft, auf Glück und Wohlstand als Plantagenbesitzer in der ewigen Sonne des Südens. Der Alltag auf der Insel öffnete ihnen dann schnell die Augen. Während August Gissler nach dem Kirchenschatz grub, mühten sich die Männer der Kolonie damit ab, in den schlammigen Böden Kartoffeln und Mais zu pflanzen, und die Frauen verteidigten in den Blockhütten ihre Säuglinge gegen Ratten und Insekten. Nach wenigen Monaten hatten die ersten Siedler genug und kehrten mit dem Versorgungsschiff zurück ans Festland. Drei Jahre später waren die letzten drei Familien verschwunden; und weil von Dezember 1898 an auch das Versorgungsschiff ausblieb, blieben August und Clara Gissler fast zwei Jahre allein auf Cocos Island zurück. Erst gingen die Vorräte aus, dann wa-

neuen Kontrakt gemacht. (...) Die Regierung beansprucht ein Drittel vom Schatze, im Falle, dass ich ihn finde, und dann müsste ich noch einigen Leuten soundsoviel Prozent davon unterschreiben. Was uns übrig bleibt, ist die Hälfte. Finden wir etwas, ist es gut, dann ist es soviel, dass ich und ihr noch mehr als genug an der Hälfte hätten. Finden wir nichts, ist uns das Land sicher, und das wird mit der Zeit eine ganze Masse Geld wert sein.»

ren die Grabungswerkzeuge abgenutzt, schließlich ging die Munition aus. Im Oktober 1900 war die Not so groß, dass Gissler eigenhändig ein Boot baute, die Laken des Ehebetts als Segel hisste und mit Clara in drei Tagen ans Festland fuhr – um wenig später wieder nach Cocos Island zurückzukehren.

Im November 1904 war August Gissler wieder einmal in New York, um eine Gesellschaft britischer Schatzsucher in Empfang zu nehmen. Bei dieser Gelegenheit gewährte der Gouverneur von Cocos Island, mittlerweile wohl längst am Rand des Wahnsinns, der «New York Times» ein Interview.

«Kapitän Gissler ist ein Mann von 47 Jahren und ein lebendes Abbild von Michelangelos Moses», schrieb der offensichtlich beeindruckte Reporter. «Sein roter Bart reicht ihm bis zur Hüfte, das Haar wächst üppig auf seinem herrlich selbstbewussten Kopf, der Blick ist klar und durchdringend wie der eines Adlers, die Nase klassisch, die Stimme tief und sanft. Er ist sechs Fuß und drei Inches groß und hat eine keilförmige Figur, wie es sich für einen Mann gehört: Breite Schultern und schmale Hüften mit einem kaum wahrnehmbaren Hang zur Fülligkeit. Seine Hand ist groß wie die Hand der Vorsehung und seine Faust so hart, dass er damit Nägel einschlagen könnte. «Cocos», sagte Gouverneur Gissler am Vorabend seiner Abreise, «ist zweifellos vulkanischen Ursprungs. Unser höchster Berg ist 2500 Fuß hoch. Wir haben sieben Flüsse. Einer geht über einen 600 Fuß hohen Wasserfall, und ein anderer über einen Katarakt von 500 Fuß. Hundert Fuß von meiner Residenz entfernt habe ich also die Kraft von 2000 Pferdestärken zur Verfügung.»

«Wie ist die Bodenbeschaffenheit?»

«Wir haben Sand, Ton und Schokoladenlehm. Der Boden ist sehr fruchtbar, die Vegetation ausgesprochen reich. Die Wälder sind großartig. Es gibt viele weiße und gelbe Zedern, deren Holz sehr rein ist, bestens geeignet für die Produktion von Bleistiften.»

«Wie ist das Klima?»

«Die Temperatur schwankt zwischen 62 und 90 Grad Fahrenheit. Heizen müssen wir nie, Mäntel tragen wir keine, und die Hitze macht uns nichts aus. Ich trage das ganze Jahr über einen Overall und fühle mich sehr wohl. Es regnet zehn Monate im Jahr, und zwei Monate haben wir Regenschauer. Das Wasser ist das sauberste der Welt. Ich habe es nie analysieren lassen.»

«Gibt es Wild?»

«Es gibt viele Vogelarten, aber keine essbaren. Die sind nur hübsch anzuschauen, Kakadus und Papageien und Ähnliches. Die Wälder sind voller wilder Schweine. Wenn ich Frischfleisch brauche, schieße ich eines. Im Wasser gibt es massenweise Fische, aber diese Tropenfische, wissen Sie, sind nicht besonders essbar.»

«Sie züchten Vieh, nehme ich an?»

«Ich habe mal einiges an Vieh gehabt, Pferde, Schafe, Hühner. Aber als ich das letzte Mal nach Amerika reiste, kam eine Expedition aus Vancouver und hat alles umgebracht.»

«Wieso hat Ihr Volk das zugelassen?»

«Mein Volk? Ich habe keines.»

«Ich meine – Ihre Leute.»

«Oh, es gibt keine Leute. Nur ich und meine Frau leben auf der Insel.»

«Und wenn Sie unterwegs sind?»

«Kommt sie mit mir. Wir überlassen das Vieh, die Pferde und so weiter sich selbst. Die haben immer genug zu fressen.»

«Keine Kinder?»

«Kein einziges. Wozu sollte eine Bande Kinder auf Cocos Island gut sein? Bringt nur Ärger. Die würden immer ans Festland wollen.»

«Ist Ihre Frau nicht einsam?»

«Nicht da, wo ich bin. Ihr gefällt's dort unten. Übrigens gibt es auch jede Menge Arbeit. Wir arbeiten beide.»

«Was tun Sie denn?»

«Kürzlich habe ich eine Tabakplantage angelegt. Auf dem Schokoladenlehm ziehe ich 1000 Pfund pro Acre in sechs Wochen, und dann kann ich gleich nochmal anpflanzen und ernte nochmal 800 Pfund. Wenn ich will, kann ich mehrmals jährlich anpflanzen und 3000 Pfund pro Acre ernten.»

«Das klingt unglaublich, Gouverneur.»

«Aber es ist wahr. Ich verkaufe meine Ernte in Costa Rica zu einem Dollar pro Pfund.»

«Ein Mann allein kann nicht sehr viele Acres bewirtschaften. Wieso importieren Sie keine Arbeitskräfte?»

«Ich habe mal achtzehn Deutsche mitgenommen, samt ihren Familien, und dachte mir, die würden tüchtig anpflanzen und alle reich werden. Aber stattdessen haben sie nach kurzer Zeit einen Aufstand angezettelt.»

«Was wurde aus dem Aufstand?»

«Ich habe ihn niedergeschlagen.»

«Wie das?»

«Kraft meines Amtes als Gouverneur von Cocos Island habe ich das Kriegsrecht verhängt, meine großen Pistolen auf die Gesichter der Deutschen gerichtet und sie zum Aufgeben gezwungen. Sie legten die Waffen nieder, die sie hatten, und der Friede war wieder hergestellt. Aber nach diesem Vorfall habe ich die ganze Bande zum Teufel geschickt.»

«Sie sind in Personalunion Gouverneur, General, Oberst und die ganze Armee, darüber hinaus Staatsanwalt, Richter, Geschworener und Leichenbestatter?»

«All das, genau. Ich muss das alles sein.» (…)

«Was sind Ihre nächsten Pläne, Gouverneur?»

«Ich werde eine Ladung Landarbeiter nach Cocos mitnehmen und 50 000 Gummibäume pflanzen. (…) Dann gibt's noch etwas, das mich interessiert: Ginseng. Was ist das eigentlich? Wozu braucht man das? Ich habe gehört, dass sich damit große Gewinne erzielen lassen, bis zu 50 000 Dollar pro Acre. Ich werde mal ein paar Wurzeln mitnehmen und sehen, was sich machen lässt.»

Wenige Tage nach dem Interview kehrte August Gissler nach Cocos Island zurück und seine treue Clara mit ihm. Ob sie den unbeirrbaren Enthusiasmus ihres Gatten teilte, weiß man nicht. Sicher ist, dass sie über all die Jahre nie von seiner Seite gewichen ist; und sicher ist auch, dass August Gissler weder mit Tabak noch mit Gummi oder Ginseng reich wurde. Die Tabaksetzlinge verrotteten, die Gummibäume gingen ein, die Ginsengwurzeln versanken im Schlamm. Und nach wenigen Monaten war es wieder einmal so weit, dass der Proviant ausging und die Gewehrmunition im ewigen Regen feucht geworden war. Um am Festland Nachschub zu beschaffen, baute August Gissler wiederum ein Boot und hisste die Laken. Seiner Clara versprach er, in spätestens sechs Wochen zurück zu sein. Unterwegs aber trieb ihn ein Sturm vom Kurs ab, sodass er nicht in Puntarenas an Land ging, sondern mehrere hundert Kilometer südlich, an der Küste Panamas. Für den Rückweg nach Cocos Island benötigte er fast ein halbes Jahr. Als ihn das Postschiff schließlich in Chatham Bay an Land setzte, fand er seine Clara bei bester Gesundheit vor – und das, obwohl sie am Tag von Augusts Abreise unglücklich gestürzt war und sich den Arm gebrochen hatte. Sie hatte den Arm mit Stöcken und Lianen geschient, worauf dieser ganz ordentlich wieder zusammengewachsen war. Mit dem anderen Arm hatte sie Fallen aufgestellt und sich von den Tieren ernährt, die sich darin verfingen.

Gut möglich, dass August Gissler in jenem Augenblick zur Besinnung kam, da er seine tapfere Frau so mutterseelenallein am Strand von Chatham Bay stehen sah. Gut möglich, dass er in jener Minute einsah, dass er ihr – und sich selbst – nun genügend Opfer zugemutet hatte. Vielleicht aber war er nur in Sorge wegen Claras Arm und wollte diesen einem Arzt zeigen. Jedenfalls gingen Clara und August Gissler am 6. November 1905 an Bord des Postschiffes – ohne zu ahnen, dass sie für immer von Cocos Island Abschied nahmen. Am 8. November erreichten sie Puntarenas, eine Woche später sollten sie auf die Insel zurückkehren. Da wollte es aber der Zufall, dass am 11. November ein Brief seines Bruders Hermann aus Remscheid eintraf. Er schrieb, er sei ernsthaft krank und bitte den Bruder dringend, heimzukehren und bis zu seiner Genesung die Leitung der Papierfabrik in Betzdorf zu übernehmen. «Ich komme gerne heim, um zu helfen», antwortete August. «Andrerseits gefällt es mir gar nicht, die Insel zu verlassen – wenn auch nur vorübergehend –, denn wir haben gewisse Arbeiten betreffend den Schatz noch nicht abgeschlossen. Aber natürlich ist es meine Pflicht, Hermann zu helfen; dann muss die Insel eben eine Weile warten.»

Clara und August nahmen den nächsten Dampfer über Panama nach New York und fuhren weiter nach Antwerpen, wo sie am 27. Dezember eintrafen. Zuhause in Remscheid aber stellte sich heraus, dass sich Hermanns Gesundheitszustand in der Zwischenzeit dramatisch verbessert hatte. «Hermann ist wieder ziemlich alright», notierte August am 6. Januar 1906. Wenn er den Verdacht hatte, dass der Bruder die Krankheit nur vorgeschützt hatte, um ihn nach zwanzig Jahren endlich heimzuholen, so behielt er diesen Verdacht für sich. Drei oder vier Monate lang versuchte er, sich in der Lederpappen- und Papierfabrik nützlich zu machen; aber dann zog es ihn wieder fort.

Nach Cocos Island kehrten August und Clara Gissler nie wieder zurück. Sie ließen sich in New York nieder und lebten ärmlich bei Augusts Schwestern Alma und Emmy, die ihren Lebensunterhalt als Dienstmädchen verdienten; Alma war schon als junges Mädchen nach Amerika ausgewandert, Emmy hatte Deutschland verlassen, als ihre Ehe in die Brüche ging. Bis an sein Ende lebte August Gissler in der Gewissheit, ein reicher Mann zu sein. Denn wenn er auch den Kirchenschatz von Lima nicht gefunden hatte, so hielt er sich doch für den rechtmäßigen Eigentümer von Cocos Island. Als seine Clara 1925 starb, redete er, den im Alter Rheuma und Magenbeschwerden plagten, weiter unablässig davon, dass ihm nur jemand ein ganz klein wenig Geld vorschießen müsste, damit er den Schatz doch noch bergen könnte. Und als er einsah, dass das nicht mehr geschehen würde, versuchte er die Insel der U.S. Navy als Stützpunkt zu verkaufen. Aber auch das misslang. Am 8. August 1935 starb August Gissler im Alter von achtundsiebzig Jahren. Sein Testament verfügte, dass der Besitz auf Cocos Island unter dreizehn Verwandten, Freunden und Geldgebern aufgeteilt werden sollte. Weiter schrieb es vor, dass bei einem Verkauf der Preis der Ländereien nicht unter zweihunderttausend Dollar liegen dürfe.* Da aber die amtliche Schätzung nur von einem Wert von höchstens fünfhundert Dollar ausging, wurden die Erben bei der costaricanischen Regierung vorstellig. Sie erhielten die Auskunft, dass August Gissler, da er ja weder den Schatz gefunden

* Gisslers Testament datiert vom 5. Februar 1929 und wurde in der «New York Times» am 13. November 1935 publiziert. Demnach sollten seine zwei New Yorker Schwestern Alma und Emmy je drei Zwanzigstel des Besitzes auf Cocos Island erhalten, ebenso zwei befreundete Personen in New York und Ocean City. Seine Schwestern Anna und Johanna im heimatlichen Remscheid

noch eine dauerhafte Kolonisierung zustandegebracht habe – Cocos Island zu keinem Zeitpunkt besessen, sondern die Insel lediglich zur Nutzung überlassen bekommen habe. Von einem eigentlichen Erbe könne also keine Rede sein.

sollten ein Zwanzigstel erhalten, ebenso sein Neffe Walter Gissler, der die Leitung des Familienunternehmens übernommen hatte, und sein Onkel Richard Berger, Papierfabrikant in Wolkenburg (Sachsen), sowie vier weitere Personen.

7 Der Kobold in der Flasche

Die Samoaner liebten den freundlichen Schotten, der so ganz anders war als die steifen Herren von der Deutschen Handelsgesellschaft. Sie bewunderten das große Haus, das auf Vailima Gestalt annahm, und die unerhörten Schätze, die er darin anhäufte. Stevenson war fröhlicher, großzügiger und charmanter als alle anderen Europäer auf Samoa; und da sein Clan stetig wuchs, musste er ein großer und gütiger Chief sein. Waren Louis, Fanny und Lloyd in den ersten Monaten noch allein auf Vailima gewesen, so war bald auch Fannys Tochter Belle mit ihrem Sohn Austin zu ihnen gestoßen, und wenig später ihr Ehemann Joe Strong, und schließlich auch noch Louis' Mutter Margaret Stevenson und sein Cousin Graham Balfour.

Um Vailima in Schuss zu halten, stellte Louis zwölf Hausdiener und ebenso viele Plantagenarbeiter ein; insgesamt waren es zwanzig bis dreißig Menschen, die von seinem Geld lebten. Hinzu kamen die Kosten für Kleidung, Lebensmittel und Medikamente. Auch Fannys experimentelle Gartenplantagen kosteten Geld, ebenso ihre Parfümdestillerie, die nie zur Produktionsreife gedieh, oder ihr Nutzvieh, das immer wieder im Dschungel verloren ging. Die vergoldeten kleinen Ringe, die Belle den Hausmädchen schenkte, kosteten Geld. Lloyds Reitstiefel kosteten Geld, ebenso dessen Pferd, auf dem er die

Plantagenarbeiter kommandierte, und die Eismaschine, die er aus Schottland mitgebracht hatte und die nie richtig funktionierte. Joe Strongs Leidenschaft für Schnaps und Frauen kostete Geld. Das prächtige Haus, das beständig vom Dschungel verschluckt zu werden drohte, kostete Geld. Und bald würde auch der kleine Austin Geld kosten, wenn er in Kalifornien zur Schule ging.

All diesen Verpflichtungen kam Louis mit dem Pflichtbewusstsein eines schottischen Clanchefs nach. Er achtete darauf, dass täglich ein Tischgebet gesprochen wurde. Er unterwies die Kinder in Religionslehre und Geschichte. An Weihnachten, Ostern und Pfingsten verteilte er schottische Kilts mit dem Muster der Stuarts an die samoanischen Haushaltsmitglieder und befahl ihnen, diese über ihren tätowierten Lenden zu tragen. Und wenn ein Zwangsarbeiter vor den Peitschen der deutschen Plantagenaufseher nach Vailima floh, nahm Louis ihn auf und bezahlte der Handelsgesellschaft die Ablöse.

Anfang 1891 bat ihn die London Missionary Society um einen Beitrag für die wöchentlich erscheinende Missionszeitschrift «O le Sulu o Samoa», das erste und einzige Blatt in samoanischer Sprache. Louis sollte eine Erzählung zur moralischen Erbauung der Eingeborenen liefern, und die Missionare würden sie aus dem Englischen ins Samoanische übersetzen. Die Geschichte hieß «Der Flaschenkobold» und erschien in Fortsetzungen von Mai bis Dezember 1891. Alle schriftkundigen Samoaner lasen sie mit leidenschaftlichem Interesse, monatelang war sie erstes Gesprächsthema auf ganz Upolu – und bis an sein Lebensende kam Robert Louis Stevenson nicht mehr dagegen an, dass die Samoaner in ihm den Helden der Geschichte sahen und ihm fortan mit einer Mischung aus Ehrfurcht, Mitleid, Neid und Abscheu begegneten.

Die Samoaner kannten den Unterschied zwischen Dichtung und Wahrheit nicht. Was sie an Schrift bisher kennengelernt hatten, war die Bibel und ihre Auslegung durch die Missionare; jedes gedruckte Wort war das Wort Gottes, an dessen Wahrheit kein Zweifel möglich war. Deshalb lasen sie auch Louis' Erzählung wie ein weiteres Kapitel aus der Bibel, also als Tatsachenbericht – und sofort war allen klar, wer sich hinter dem notdürftig verkleideten Helden der Geschichte versteckte. Dass er Keawe hieß und nicht Louis, konnte in Apia niemanden täuschen; ebenso wenig, dass die Geschichte auf Hawaii statt auf Samoa spielte. Wer Augen hatte zu sehen, dem musste alles klar sein – spätestens bei der Beschreibung des Hauses des unglücklichen Helden, der in jungen Jahren unerklärlich rasch zu märchenhaftem Reichtum gelangt war.

«Das Haus stand leicht erhöht am Fuß des Berges, in Sichtweite der Schiffe. Weiter den Berg hinauf zog sich der Dschungel hoch bis zu den Regenwolken; zu Füßen des Hauses ragten die Lavaklippen auf, wo die Könige längst vergangener Zeiten begraben lagen. Das Haus stand in einem Meer von Blumen, welches wiederum umgeben war von einem Papaya- und einem Brotfruchthain, und vor dem Haus, zur See hin, stand ein Schiffsmast, an dem eine Flagge flatterte. Das Haus selbst war dreistöckig, hatte geräumige Zimmer und eine breite Terrasse auf jeder Etage. Das Glas der Fenster war wasserklar und hell wie der Tag, in den Zimmern standen kostbare Möbel, und an den Wänden hingen goldgerahmt Bilder von Schiffen, kämpfenden Männern und schönen Frauen; nirgendwo auf der Welt gab es Bilder von so leuchtend klarer Farbe wie im Haus von Keawe. Überall standen die feinsten und ausgefallensten Nippessachen: Standuhren mit Glockenspiel, Musikdosen, kleine, kopfnickende Männchen, prächtige Bildbände, kostbare Waffen aus aller Herren Länder, und allerlei Spielsachen. Da in solchen Zimmern niemand wirklich leben, sondern sie nur durchschreiten und bestaunen wollte, waren die Balkone so breit angelegt, dass die Einwohner einer ganzen Stadt bequem darauf Platz gefunden hätten. Keawe wusste nicht, welche Terrasse ihm lieber war – die rückseitige, auf der einem die Landbrise um die Nase wehte und man auf Obstgärten und Blumen hinuntersah, oder jene auf der Vorderseite, wo man Seeluft atmete …»

Trotz seines prächtigen Hauses konnte Keawe nicht recht glücklich sein; denn seinen Reichtum hatte er erworben durch einen Pakt mit dem Teufel. Vor nicht allzu langer Zeit noch war er ein armer, aber ehrbarer Bursche gewesen, der «lesen und schreiben konnte wie ein Lehrer» und der lange Zeit als Seemann den Pazifischen Ozean befahren hatte. Eines Tages aber …

«… war es ihm in den Sinn gekommen, die große Welt und fremde Städte zu sehen, und so war er an Bord eines Schiffes gegangen und nach San Francisco gereist.

Das ist eine schöne Stadt mit einem schönen Hafen und zahllosen reichen Einwohnern; ein Hügel vor allem ist über und über bedeckt mit Palästen. Auf diesem Hügel ging Keawe spazieren, hatte die Taschen voller Geld und besah sich vergnügt die großartigen Häuser beidseits der Straße. ‹Was für schöne Häuser!›, dachte er bei sich, ‹und wie glücklich diese Leute dort drin sein müssen, dass sie keine Sorgen wegen der Zukunft haben!›

Da kam Keawe zu einem Haus, das kleiner war als die anderen, aber hübscher und blitzblank von oben bis unten; die Treppe glänzte wie Silber, die Hecken blühten wie Blumengirlanden, und die Fenster glitzerten wie Diamanten. Keawe blieb stehen und staunte. Da bemerkte er, dass durch eines der Fenster ein Mann ihn beobachtete. Der Mann hatte eine Glatze und einen schwarzen Bart. Sein Gesicht war von schweren Sorgen gezeichnet, und er seufzte bitter. Tatsächlich war es so, dass in diesem Augenblick beide einander beneideten – Keawe den Mann, und der Mann Keawe.»

Der alte Mann nämlich verdankte seinen Reichtum einem Kobold, der in einer kleinen Flasche steckte und seinem Herrn jeden nur erdenklichen Wunsch erfüllte – Liebe, Ruhm, Schlachtenglück, alle Reichtümer dieser Erde – außer jenem nach körperlicher Gesundheit und einem längeren Leben. Der Haken an der Sache war, dass unausweichlich zur Hölle fahren musste, wer in der Stunde seines Todes im Besitz der Flasche war. Und loswerden konnte man sie nur, indem man sie zu einem günstigeren Preis hergab, als man sie selbst erstanden hatte, und zwar in klingender Münze. Vor vielen Jahrhunderten hatte der Teufel die Flasche in die Welt gesetzt zu einem millionenschweren Preis, und seither war sie von Hand zu Hand gewandert quer durch die Menschheitsgeschichte und dabei immer billiger geworden; Napoleon Bonaparte hatte sie besessen und war dank ihr zum Beherrscher der Welt aufgestiegen, bevor er die Flasche weiterreichte und gestürzt wurde. Captain James Cook hatte dank der Flasche zahllose Inseln im Pazifik entdeckt, bevor er sie verkaufte und auf Hawaii ermordet wurde. Und jetzt war da dieser alte Mann in San Francisco, der für die Flasche neunzig Dollar bezahlt hatte und seit vielen Jahren nach jemandem suchte, der sie ihm zu einem geringeren Preis abnähme. «Nütze auch du die Macht des Kobolds maßvoll für deine Zwecke», sagte der Mann zu Keawe, «und verkaufe dann die Flasche weiter, wie ich sie dir verkaufe, und lebe glücklich und vergnügt bis ans Ende deiner Tage.»

In Stevensons Geschichte ging Keawe auf das Geschäft ein, hatte dann aber das Pech, dass er keinen Abnehmer für die Flasche fand. Für die Samoaner war sofort klar, dass Keawe niemand anderer als Robert Louis Stevenson sein konnte. War Louis etwa nicht märchenhaft reich? War er nicht ein fröhlicher Mensch wie Keawe, der nicht anders konnte, als lauthals zu singen vor Glück, wenn er in seinem schönen Haus umherlief? War er andrerseits nicht dauernd krank, wogegen der Flaschenkobold nichts ausrichten konnte? Befiel ihn nicht plötzlich Traurigkeit, wenn er sich unbeobachtet glaubte? Und was war mit seiner Frau Fanny? Die Samoaner nannten sie Aolele, Fliegende Wolke, weil sich ihr Gesicht ganz plötzlich umwölken konnte, wo gerade noch ein Lächeln gewesen war; oft genug hatten die Dienstmädchen heimliche Tränen beobachtet, für die es keine Erklärung gab. Für all das, so beschlossen die Samoaner, lieferte die Geschichte von Keawe die Erklärung. Irgendwo auf Vailima musste die Flasche mit dem Kobold versteckt sein. Wenn das aber zutraf, musste Louis die Flasche möglichst rasch loswerden, um seine Seele vor der Hölle zu bewahren. Konnte es sein, dass er keinen Käufer fand? Hatte er etwa die Dummheit begangen, die Flasche für nur einen Cent, also zum kleinstmöglichen Preis zu kaufen, sodass ihn gar kein Käufer, selbst wenn sich einer fände, unterbieten konnte? Konnte es sein, dass Louis' Seele unrettbar verloren war?

Robert Louis Stevenson selbst bemühte sich bis an sein Lebensende vergeblich, seinen samoanischen Besuchern den Unterschied zwischen Dichtung und Wahrheit nahe zu bringen. «Gelegentlich kommen Leute her, um mein bescheidenes Heim zu besichtigen. Dann bewundern sie meine Vanderputty-Decke und die Gobbling-Tapeten, und gegen Ende ihres Besuchs macht sich ein Unwohlsein breit, das von unendlichem Taktgefühl herrührt. Dann kann man sehen, wie sie mit ihren braunen Schultern zucken und wie sie die Augen verdrehen, und zu guter Letzt bricht es dann doch aus ihnen hervor: Wo ist denn nun die Flasche?»

8 Wo ist der Schatz?

Es ist schon sehr erstaunlich, dass auf Cocos Island in hundertfünfzig Jahren keine einzige Schatzkarte, kein Satellitenbild und kein Metalldetektor die richtige Stelle wiesen, und dass weder deutsch-methodischer Fleiß noch franko-genialisches Glücksrittertum zum Ziel führten, und noch nicht mal die brachiale Gewalt US-amerikanischer Dynamitpatronen und Bulldozer. Denn eigentlich ist recht genau bekannt, an welcher Stelle der Kirchenschatz von Lima liegen müsste. Nach menschlichem Ermessen kann die *Mary Dear* nur im Nordwesten der Insel, in Chatham oder Waver Bay, vor Anker gegangen sein; das sind die einzigen sicheren Ankerplätze für ein großes Schiff mit tonnenschwerer Ladung. Von dort aus hatten Thompsons Männer keine andere Möglichkeit, als die Schatzkisten in den Beibooten an einen dieser zwei Strände zu rudern; und nach dem Ausladen können sie mit der schweren Last nicht weit ins Landesinnere vorgedrungen sein. Denn der Strand ist nur zehn oder zwanzig Meter breit, und dahinter beginnt, steil ansteigend, der Dschungel, in den einzudringen auch dann qualvoll mühsam ist, wenn man keine zentnerschwere Schatzkiste mit sich schleppt. Um den Kirchenschatz im Innern der Insel zu verstecken, hätten Thompsons Leute eine mindestens zwei Meter breite Schneise ins Dickicht hauen müssen. Auf dem so entstandenen Weg wären sie dann, schwer beladen, viele Dutzend Mal hin- und hergelaufen, wodurch ein Trampelpfad entstanden wäre, auf dem viele Monate kein Gras mehr gewachsen wäre und der lange Zeit wie ein roter Teppich zum Versteck geführt hätte. Als aber wenige Wochen später die spanischen Soldaten in Begleitung von Thompson und dem Maat die zwei Buchten absuchten, konnten sie keinerlei Beschädigung der Urwaldvegetation erkennen. Aus diesen Gründen, und weil das Versteck leicht und rasch zugänglich sein musste, kommen vernünftigerweise nur die Strände infrage, allenfalls noch der Lauf eines kleinen, ins Landesinnere führenden Flusses; aber der steigt sehr bald sehr steil bergan über gewaltige Gesteinsbrocken und tiefe Becken.

Bis auf den heutigen Tag haben sich fast alle Schatzsucher auf jene zwei Landstreifen in Chatham Bay und Waver Bay konzentriert, die insgesamt vielleicht das Ausmaß von zwei oder drei Fußballfeldern haben. Im 20. Jahrhundert haben manche Schatzsucher das Suchgebiet um ein paar hundert Quadratmeter felsigen Meeresgrund erweitert, der bei Ebbe aus dem Wasser auftaucht. Hingegen fallen sämtliche Partien mit sandigem Untergrund – am Strand wie im Wasser – außer Betracht, da im Sand alles Gold wegen seines hohen spezifischen Gewichts ins Bodenlose sinken würde. Alles in allem bleibt es ein höchst überschaubares Gebiet, das wieder und wieder umgegraben, gepflügt und gesiebt und in die Luft gesprengt wurde – und immer ohne Erfolg. Da ist es nun an der Zeit, eine grundsätzliche Frage zu stellen. Sie lautet: Hat Kapitän Thompson den Kirchenschatz überhaupt auf Cocos

Island vergraben? Und ist es nicht viel wahrscheinlicher, dass er eine andere Insel anfuhr?

Es ist eine beliebte und romantische Vorstellung, dass Seeräuber nach geschlagener Schlacht und erfolgreichem Raub in aller Eile eine abgelegene, gottvergessene Insel aufsuchten, um ihre Beute wahlweise am Strand zu vergraben, in einer Höhle zu verstecken, in Ufernähe zu versenken. In Wahrheit war es selten so. Erstens bestand das Raubgut kaum je aus wetter- und wasserfesten Goldmünzen und Edelsteinen, sondern vielmehr aus Kaffee oder Seide, Zucker oder Tabak. Solch verderbliche Ware eignete sich weder zum Vergraben noch zum Versenken; die musste man möglichst rasch im nächsten Hafen zu Geld machen. Und selbst wenn die Beute tatsächlich aus Edelmetall bestand, hatten die Piraten selten Anlass, diese irgendwo unter beschwerlichsten Umständen zu vergraben, nur um sie möglicherweise eines fernen Tages wieder hervorzuholen. Denn sie lebten von Tag zu Tag und trafen keine Vorsorge für eine Zukunft, von der sie ohnehin nicht viel mehr als eine Gewehrkugel im Kopf, ein Messer in der Brust oder eine Schlinge um den Hals zu erwarten hatten. Gewöhnlich teilten sie die Beute gleich nach dem Raubzug untereinander auf und steuerten einen Hafen an, dessen Obrigkeit nicht allzuviele Fragen stellte, versoffen, verhurten und verspielten alles binnen weniger Tage, und bereiteten dann den nächsten Raubzug vor. Nur wenige Piratenkapitäne wie Henry Every, Henry Morgan und Thomas Tew waren willens und schlau genug, den Traum vom schnellen Reichtum zu verwirklichen, sich vor dem Gesetz freizukaufen und ein

Leben in rechtmäßigem Wohlstand und bürgerlichem Ansehen zu führen.

Seit den Tagen von Thompson und Keating hat es immer eine Handvoll Männer gegeben, die davon überzeugt waren, als Einzige auf der Welt die genaue Lage des Schatzes auf Cocos Island zu kennen: In einer künstlichen Höhle hinter einer Felsentür; in einer natürlichen Höhle, die nur bei Ebbe sichtbar wird; unter dem Wurzelstock dieser oder jener Palme, soundsoviele Schritte von diesem oder jenem Felsen entfernt, und zwar in dieser und dieser Richtung. Meist waren handgefertigte Landkarten im Spiel, die uralt und sehr einzigartig und extrem authentisch aussahen – wobei kaum ein Kartenbesitzer sich je die Frage stellte, weshalb um Himmels willen Thompson, Davis oder Bonito sich die Mühe des Kartenzeichnens hätten machen sollen, wo sie doch erstens den Schatz eigenhändig vergraben hatten und dessen Lage also bestens kannten, zweitens diesen gewiss baldmöglichst zu bergen gedachten und drittens keinesfalls wünschen konnten, dass das jemand anderer für sie übernahm.

Auffällig ist auch, dass die meisten Schatzsucher ihren unerschütterlichen Glauben niemals verloren, auch nicht nach den schlimmsten, immer wiederkehrenden Enttäuschungen. Stets machten sie für ihr Scheitern die mannigfaltigsten widrigen Umstände verantwortlich: Manche waren zu arm, zu krank oder zu reich gewesen, um die Reise überhaupt anzutreten; andere waren zwar auf Cocos Island angekommen, aber bei schlechtem Wetter oder mit ungenügender Ausrüstung oder unzuverlässiger Begleitmannschaft. Mal war die Zeit zu knapp gewesen, oder die costaricanischen Behörden hatten dazwischengefunkt, oder frühere Suchtrupps hatten kostbare Wegzeichen zerstört. Alle nur denkbaren Erklärungen für den Misserfolg wurden wieder und wieder herangezogen – nur diese eine nicht: dass der Schatz einfach nicht dort ist.

Zwar muss mit großer Sicherheit angenommen werden, dass Thompson den Schatz tatsächlich vergraben ließ. Erstens bestand er aus bestens haltbarer Ware, zweitens war damit zu rechnen, dass ihm in Kürze die gesamte spanische Armada auf den Fersen sein würde, und drittens haben nach ihrer Festnahme alle Matrosen und Offiziere der *Mary Dear* unter der Folter einhellig geschworen, den Schatz auf einer Insel namens Cocos Island vergraben zu haben; ein Schwur, der umso ernster zu nehmen ist, als den fünfzehn Mann der Strang ohnehin sicher war und sie also wenig Grund hatten, sich noch auf eine gemeinsame Lüge zu verständigen. Aber nach über hundertachtzig Jahren vergeblicher Schatzsuche mag es an der Zeit sein, sich eine andere Möglichkeit vorzustellen. Was, wenn die *Mary Dear nicht* in Chatham oder Waver Bay vor Anker ging? In welche Himmelsrichtung könnte ihre Flucht in jenem August 1821 dann geführt haben? Nach Norden oder Süden bestimmt nicht, denn kein Hafen an der Westküste Nord-, Mittel- und Südamerikas hätte dem Piratenschiff Unterschlupf gewährt; nach Osten, dem Atlantischen Ozean entgegen, auch nicht, weil die leichte

Mary Dear eine Umseglung des stürmischen Kap Hoorn nicht überstanden hätte; blieb als einziger Ausweg eine Fahrt nach Westen, hinaus auf den Pazifischen Ozean. Dort bot sich in der Tat als Erstes Cocos Island an. Einem umsichtigen und erfahrenen Kapitän wie Thompson hätte aber der Gedanke kommen können, dass ein sich derart offensichtlich aufdrängendes Versteck auch der spanischen Marine nicht verborgen bleiben würde und dass es klug sein könnte, das Schiff in der kräftigen pazifischen Strömung weiter, viel weiter nach Westen zu führen. Kapitän Thompson wird also, um möglichst rasch eine möglichst große Distanz zwischen sich und die Verfolger zu legen, alle Segel in den Wind gehängt haben, um sein Schiff so rasch und so weit als irgend möglich weg von Lima, Peru und Südamerika zu führen.

Dies vorausgesetzt, kann man sich Folgendes vorstellen: Die *Mary Dear* kreuzte auftragsgemäß gegen den Wind nach Westen, bis sie hinter dem Horizont verschwand. Dann ließ sie sich vom kalten Humboldtstrom der Küste Südamerikas entlang nach Nordwesten tragen, vorbei an den Galapagos-Inseln, wo Kapitän Thompson vielleicht ein paar Dutzend Schildkröten als lebenden Fleischproviant an Bord nahm. Südlich von Cocos Island dann mündete der Humboldtstrom westwärts in den warmen Äquatorialstrom, auf dem die *Mary Dear*, getragen von kräftigen Passatwinden, wohl gute Fahrt machte. Im Monat August war die stürmische Regenzeit noch fern; gut möglich, dass sie sich rasch dem Inselreich Polynesiens näherte. Anhaltend gutes Wetter vorausgesetzt, passierten die Piraten vielleicht nach wenigen Wochen die Marquesas, ließen sich ein paar weitere Tage vom Äquatorialstrom nach Südwesten treiben, vorbei an Tahiti, den Gesellschaftsinseln und den Cook Islands, und mussten dann, wenn sie der Fahrt ihren natürlichen Verlauf ließen, direkt auf die Inseln Samoas und Tongas treffen.

Dass eine rasche Überfahrt über den Pazifik möglich war, hatte übrigens schon fünzehn Jahre früher das britische Freibeuterschiff *Port au Prince* bewiesen, nachdem es zwei Jahre lang die Westküste Spanisch-Amerikas unsicher gemacht hatte und vor den anrückenden spanischen Galeonen fliehen musste. Es ging am 29. November 1806 im Königreich Tonga vor der Insel Lifuka vor Anker. Zwei Tage später aber wurde die *Port au Prince* von feindseligen Insulanern gestürmt. Sie metzelten die Freibeuter nieder und raubten ihnen das Raubgold, und dann fuhren sie das Piratenschiff an den Strand und steckten es in Brand, um aus der Asche die kostbaren Eisenteile zu bergen. Aus dem Eisen schmiedeten tonganische Schmiede Messer, Speerspitzen und Kampfäxte, die wohl bis auf den heutigen Tag in dieser oder jener Truhe verwahrt werden; der Goldschatz aber blieb verschwunden.

Wenn es noch eines zweiten Beweises bedarf, dass von Peru aus der schnellste Fluchtweg direkt ins Inselreich Polynesiens führt, so lieferte ihn hunderteinundvierzig Jahre nach der *Port au Prince* der norwegische Völkerkundler Thor Heyerdahl. Um seine These zu untermauern, dass die Inseln der Südsee von Südamerika aus besiedelt wurden, stach er am 28. April 1947 mit seinem

Balsaholz-Floß *Kon Tiki* vom Hafen von Callao aus in See – von jenem Hafen also, in dem die *Mary Dear* den Kirchenschatz an Bord nahm. Die *Kon Tiki* trieb im Humboldtstrom nordwestwärts, an den Galapagos-Inseln vorbei und dann mit dem Südäquatorialstrom achttausend Kilometer übers offene Meer bis zum Raroia-Riff vor Tahiti, wo sie am 7. August 1947 am hundertundersten Tag strandete und auseinander brach.

Aus nautischer Sicht spricht also einiges dafür, dass Kapitän Thompson den Kirchenschatz von Lima an einem einsamen Sandstrand entladen ließ, der eben *nicht* auf Cocos Island, sondern sechs- oder siebentausend Seemeilen westlich von Chatham Bay lag – dann aber hätte er sich ganz in der Nähe jenes Stücks Dschungel befunden, das achtundsechzig Jahre später Robert Louis Stevenson kaufen sollte. Auf welcher der zahllosen Südseeinseln das geschah, ist schwer zu sagen; fest steht, dass Kapitän und Besatzung auch diese Insel Cocos Island nannten. Anzunehmen ist weiter, dass sie die schweren Kisten in den Beibooten zum Strand ruderten und dann über den Strand schleppten, um sie weiter landeinwärts in festem Untergrund zu vergraben; und vermuten kann man, dass sie nach getaner Arbeit möglichst rasch Anker lichteten, um ungesehen das Weite zu suchen und irgendwann wiederzukehren, sobald ihnen die Spanier nicht mehr auf den Fersen waren.

Eine andere Möglichkeit hatte Thompson nicht; denn die endlosen Weiten und die weißen Flecken auf der Landkarte, in denen ein gesetzloses Schiff sich vor dem langen Arm der Obrigkeit hätte verstecken können, gab es längst nicht mehr.* Auf den Weltmeeren gab es kaum mehr einen einigermaßen schiffbaren Hafen, der nicht scharf beobachtet wurde von einem britischen und einem französischen Konsul sowie von offiziellen Vertretern der Niederlande, Spaniens, Portugals, Deutschlands und der USA. Überall saßen die Versicherungsagenten von Lloyd's, die sämtliche Schiffsbewegungen nach London meldeten und alles Wissenswerte zu Herkunft, Zielort, Ladung und Besatzung notierten. Der einzig mögliche Ausweg für die Männer auf der *Mary Dear* war deshalb die Rückkehr in die Legalität. Das heißt, sie mussten zurückkehren nach Spanisch-Amerika und sich vor dem Gesetz rehabilitieren durch eine möglichst glaubhafte Lügengeschichte.

Und das taten sie denn auch. Kapitän Thompson, der ein erfahrener Schiffsführer war, wird für einige Tage Kurs nach Norden genommen haben, bis die *Mary Dear* den Äquator überquerte; unmittelbar nördlich des Äquators fließt beständig, ganzjährig und mit einer Geschwindigkeit von zwei Knoten pro Stunde der äquatoriale Gegenstrom nach Osten. Ein Schiff, das sich diesem Strom überlässt, trifft zuverlässig auf der Höhe von Costa Rica

* Das hatten schon zweiunddreißig Jahre zuvor die Meuterer von der *Bounty* erfahren müssen, nachdem sie am 28. April 1789 auf offener See ihren Kapitän William Bligh in einer 7,5 Meter langen Barkasse ausgesetzt hatten – übrigens ganz in der Nähe, auf der Tonga-Insel Tofua. Die meisten Meuterer wurden zwei Jahre später von der britischen Admiralität auf Tahiti aufgegriffen und in Ketten nach England zurückgebracht; nur neun schaff-

auf den amerikanischen Kontinent. Und genau dort – das ist historisch erwiesen – wurden Kapitän Thompson und seine Männer von einer spanischen Fregatte aufgebracht, in Ketten gelegt und zum Verhör gebracht.

ten die Flucht nach Pitcairn Island, der vielleicht entlegensten aller Südsee-Inseln, deren exakte Position damals noch gar nicht bekannt war. In der Einsamkeit aber gerieten sie in Streit und schlugen einander binnen weniger Jahre gegenseitig tot. Ihre Nachfahren aber leben bis auf den heutigen Tag auf Pitcairn Island.

9 Die abenteuerliche Fahrt von
Willem Schouten und Jacob LeMaire

Wenn also Kapitän Thompson den Kirchenschatz von Lima nicht vor der Küste Costa Ricas, sondern viel weiter westlich, im Inselreich der Südsee, versteckte, wo hat er es dann getan? Um die Fahrt der *Mary Dear* zu rekonstruieren, ist es hilfreich, die Logbücher der ersten christlichen Seefahrer im Pazifik zu studieren.

Schon zweihundert Jahre vor der *Mary Dear* hatte es ein Schiff gewagt, die Küste Südamerikas hinter sich zu lassen und mit dem Äquatorialstrom auf den Stillen Ozean hinauszufahren, viele Tage und Wochen der untergehenden Sonne entgegen. Es war die niederländische Dreimastbark *Eendracht* (Eintracht) unter dem Kommando von Jacob LeMaire, die 1616 als erstes Schiff überhaupt Kap Hoorn umfuhr, den Pazifik durchquerte und dabei eine interessante Entdeckung machte.

Jacob LeMaire war der erstgeborene Sohn von Isaac LeMaire, dem reichsten Bürger der niederländischen Hafenstadt Hoorn unweit von Amsterdam. Der Vater hatte ihn im Juni 1615 mit zwei Schiffen – der *Eendracht* und der *Hoorn* – losgeschickt, einen neuen Handelsweg nach Ostindien zu finden; dabei sollte er sich nicht ostwärts halten auf der üblichen Route um Afrika und durch den Indischen Ozean, sondern westwärts, den Atlantik überqueren, die Südspitze Südamerikas umschiffen und den noch unbekannten Pazifik erkunden.

Der alte Isaac LeMaire war zu großem Reichtum gelangt mit Investitionen in Handelsreisen nach China, Ostindien und in die Karibik. Sein Geld war dabei gewesen, als 1595 niederländische Handelsleute nach Indonesien fuhren, um das Monopol der Portugiesen im Gewürzhandel zu brechen. Sein Geld war auch dabei gewesen, als 1597 in verschiedenen niederländischen Städten gleich vier Ostindiengesellschaften entstanden, die in den folgenden fünf Jahren fünfundsechzig Schiffe nach Sumatra, Java, Borneo und den Philippinen entsandten und die Portugiesen aus dem Markt drängten. Als in der Folge die vier Ostindiengesellschaften einander einen ruinösen Preiskrieg lieferten, durchschaute Isaac LeMaire als einer der Ersten ein Grundgesetz der freien Marktwirtschaft: dass nämlich Konkurrenz unter Händlern wohl das Geschäft belebt, andrerseits aber die Gewinnmargen schmälert. Um also für Pfeffer, Zimt, Muskat und Gewürznelken maximale Endpreise bei minimalen Einkaufspreisen zu sichern, schlossen sich die vier Gesellschaften am 20. März 1602 zu einem einzigen Handelshaus, der Vereinigten Ostindischen Compagnie (VOC), zusammen. Neu war erstens, dass in der VOC nicht nur die reichen Handelsfürsten ihr Geld einbrachten, sondern dass auch Handwerker, Dienstboten und Hausangestellte Anteile zeichnen konnten. Zweitens wurde das Kapital nicht nur für eine Fahrt, sondern auf Dauer angelegt; die VOC war damit die weltweit erste moderne Aktiengesellschaft.

Von jenem Tag an beanspruchte die Compagnie für sich das exklusive Recht auf allen Handel zwischen den Niederlanden und Ostasien. Kein anderes niederländisches Schiff durfte um das Kap der Guten Hoffnung oder durch die Magellanstraße nach Ostindien fahren. Wer dem Verbot zuwiderhandelte, wurde mit schweren Geldbußen und Kerkerhaft bestraft.

Rasch wurde die VOC zum größten Unternehmen der Welt. In den folgenden zweihundert Jahren führte sie Eroberungskriege von unvorstellbarer Grausamkeit, baute Forts und Kastelle und Versorgungsstationen entlang ihrer Reiserouten, und in den firmeneigenen Werften entstanden tausendsechshundert Schiffe, die insgesamt sechstausend Reisen unternahmen und stets reich beladen mit javanischem Pfeffer, chinesischem Porzellan, Elefanten aus Ceylon und Baumwolle von der Koromandelküste heimkehrten. Nur hundertzwanzig Fahrten, also zwei Prozent, endeten mit dem Verlust des Schiffes.

Größter Aktionär und einflussreicher Direktor der Compagnie war von Anfang an Isaac LeMaire; die 97 000 Gulden, die er in die Gesellschaft investiert hatte, warfen märchenhafte Dividenden ab. Schon im ersten Jahr nach der Gründung der VOC aber durchschaute LeMaire ein weiteres Gesetz der freien Marktwirtschaft: dass die Einbindung in einen Monopolbetrieb zwar recht hohe Gewinnmargen bei minimalem Risiko garantiert, hingegen jeden freiheitsliebenden Kaufmann an seiner individuellen Entfaltung hindert. Er rüstete deshalb hinter dem Rücken der Compagnie, deren Hauptaktionär er war, eine Flotte von vierzehn Schiffen aus, die unter Umgehung des

Monopols – und unter Einsparung aller Abgaben – eine Reise nach Ostindien unternahm. Alle vierzehn Schiffe kehrten heil zurück, die Ladung wurde mit ungeheurem Gewinn veräußert; aber dann wurde die Sache ruchbar. Die Aktionäre der Compagnie fürchteten um das Monopol und warfen LeMaire Betrug und Interessenkollision vor, und schließlich musste er unehrenhaft aus dem Direktorium der VOC zurücktreten.

Von jenem Tag an machte es sich LeMaire zur Lebensaufgabe, das Handelsmonopol der Ostindiencompagnie zu brechen, indem er eine neue Seeroute nach Ostindien auftat. Wenn ihm die Wege nach Südosten verboten waren, so würde er eben durch das unerforschte Eismeer des Nordens nach Asien fahren, der norwegischen Küste entlang ans Nordkap und dann zwischen dem Nordpol und Sibirien hindurch nach Japan und schließlich nach China und Indonesien. Dass in der Arktis allerhand Gefahren auf die christliche Seefahrt lauerten, war zwar bekannt; sollte die Nordostpassage aber gelingen, würde sich die Reisedistanz zwischen Europa und Ostindien praktisch halbieren.

Da LeMaire in den Niederlanden keine Mitstreiter fand, wandte er sich an das katholische Frankreich; das war in Zeiten der Religionskriege ein kühner Schritt für einen calvinistischen Kaufmann. Auf dem französischen Thron aber saß mit Heinrich IV. ein gebürtiger Calvinist, der nur pro forma zum Katholizismus übergetreten war. Der König zeigte sich sehr interessiert an der Gründung einer französischen Ostindiencompagnie. LeMaire und Heinrich IV. kamen überein, ein Expeditionsschiff unter niederländischer Flagge mit einem niederländischen Kapitän zu entsenden; falls tatsächlich eine neue Passage entdeckt würde, sollte das Schiff die Bourbonenflagge hissen und auf direktem Weg nach Frankreich zurückkehren, und die Route würde nach dem König benannt werden.

Die Expedition startete am 5. Mai 1609 und nahm Kurs nach Norden, ließ Norwegen, Finnland und Spitzbergen hinter sich und bog weit nördlich des Polarkreises in die Barentssee ein; die französische Flagge aber wurde nie gehisst. Nach drei Monaten Fahrt brach der polare Winter herein, die See gefror, und das Schiff blieb stecken und musste umkehren. Und als kurz darauf Heinrich IV. von einem fanatischen Katholiken ermordet wurde, war dies das Ende von LeMaires Zusammenarbeit mit Frankreich.

Trotzdem hielt er an seinem Ziel fest, das Monopol der VOC zu brechen. Wenn die Nordostpassage nicht möglich war, würde er es eben in der entgegengesetzten Richtung, im Südwesten, versuchen. Zwar umfasste das Monopol ausdrücklich auch die Magellanstraße, die zwischen dem südamerikanischen Festland und den Inseln Feuerlands hindurchführt. Wenn LeMaires Schiff aber die Magellanstraße steuerbord liegen lassen und noch tiefer im Süden, an der Südspitze Feuerlands, in den Pazifik einbiegen würde, wäre das eine neue, noch nie befahrene Schifffahrtsstraße, und dem Buchstaben des Gesetzes wäre Genüge getan. In aller Heimlichkeit tat LeMaire sich mit dem erfahrenen Hoorner Kaufmann und Kapitän Willem Schouten zusammen und rüstete zwei Schiffe aus, die am 14. Juni 1615 die Niederlande verließen. Die Zweihundertzwanzig-Tonnen-Bark *Een-dracht* stand unter dem Kommando von Willem Schouten, die halb so große *Hoorn* unter dem Befehl von Le-Maires Sohn Jacob. Über das Ziel der Reise herrschte größte Geheimhaltung; sogar die Besatzung wurde erst vier Monate später informiert, als schon die Küste Brasiliens in Sicht war. Am 8. Dezember lief die Expedition im Hafen von Porto Desire ein, wo beide Schiffe vor dem schwierigsten Teil der Reise, der Umrundung der Südspitze Südamerikas, überholt und verproviantiert werden sollten. Beim Abbrennen von Seegras aber fing der Rumpf der *Hoorn* Feuer und sank unter großer Rauch- und Dampfentwicklung im Hafenbecken; der Besatzung blieb gerade noch Zeit, in aller Eile die acht Kanonen, den Anker und sich selbst auf die *Eendracht* zu retten. Schwer beladen und mit verdoppelter Besatzung setzte das einzige verbliebene Schiff seinen Weg fort. Wie geplant zog die *Eendracht* an der Magellanstraße vorbei, und am 25. Januar 1616 wurde sie von einer glücklichen Strömung hineingetrieben in die erhoffte Meeresstraße südlich von Feuerland. Am 29. Januar schließlich erreichte die *Eendracht* den südlichsten Punkt ihrer Reise. Zu Ehren seiner Heimatstadt taufte Schouten das Kap auf den Namen Kap Hoorn. Einen ganzen Monat segelte das Schiff in schwerer See nordwärts die Küste Chiles entlang; Ende Februar aber wurde die *Eendracht* von jenen günstigen Winden und freundlichen Strömungen erfasst, welche in späteren Jahrhunderten auch die *Port au Prince*, die *Mary Dear* und die *Kon Tiki* westwärts über den Stillen Ozean tragen sollten. Willem Schouten und Jacob LeMaire führten gewissenhaft Tag für Tag Logbuch und kartographierten ihre Reise.

Nach gut einem Monat kamen die ersten Südsee-Inseln in Sicht. Die entkräfteten Männer gingen, wann immer möglich, an Land, um Fleisch und Früchte zu besorgen und das faule Wasser in den Fässern durch frisches zu ersetzen. Bald machten sie Bekanntschaft mit den Inselbewohnern. «Diese Leute waren vollständig nackt, die Frauen wie die Männer, und nur ein kleiner Fetzen Stoff bedeckte die unzüchtigen Stellen. Sie waren von rötlicher Hautfarbe, und sie hatten sich mit irgendeinem Öl oder Fett eingerieben; die Frauen hatten das Haar kurzgeschnitten, die Männer aber trugen es sehr lang und schwarz gefärbt. Ihr Boot war eine wundervolle Konstruktion von seltsamer Gestalt; es bestand aus zwei langen, hübschen Kanus, die in erheblichem Abstand nebeneinander im Wasser lagen und die in der Mitte durch zwei breite Planken miteinander verbunden waren. Sie waren sehr tüchtige Seeleute, hatten keinen Kompass und keinerlei andere Instrumente bei sich, nur Fischerhaken, die aus Stein und Schildkrötenknochen bestanden.»

Am 10. Mai 1616 tauchte am Horizont eine kleine, kegelförmige Vulkaninsel auf, neben der im Abstand von zwei oder drei Kanonenschüssen eine zweite, flachere Insel lag. Sie erschien Willem Schouten «sehr hoch und blau und war wohl nur noch etwa acht Leagues entfernt, aber obwohl wir doch günstigen Wind hatten, konnten wir uns den ganzen Tag über nicht nähern, weswegen wir während der Nacht Wache schoben, um dann am nächsten Tag anlegen zu können. Am Abend sahen wir ein Segel und kurz darauf ein zweites, die sich ein ganzes Stück von der Küste entfernt hatten; wir nahmen an, dass es Fischer waren, denn sie segelten dauernd hin und her. In der Nacht entzündeten sie Feuer und näherten sich einander an. Am folgenden Morgen kamen wir bei der Insel an, die sehr hoch war. Da kam eines der Segelboote auf uns zu, und wir ließen achtern einen Eimer hinunter. Da sie ihn nicht erreichen konnten, warf sich einer der Männer über Bord und packte ihn. Darauf lösten sie den Eimer vom Seil und befestigten stattdessen zwei Kokosnüsse und drei oder vier Fliegende Fische daran, und dann riefen sie uns sehr laut etwas zu, was wir nicht verstanden; wir dachten uns aber, dass sie uns aufforderten, das Seil wieder einzuziehen. Wir hatten kaum Anker geworfen, als schon drei weitere Schiffe kamen, um uns zu umkreisen; zudem neun oder zehn Kanus, wovon zwei je eine kleine weiße Fahne als Friedenszeichen gehisst hatten, worauf wir dasselbe taten. In jedem Kanu saßen drei oder vier Männer, und sie hatten einen stumpfen Bug und ein spitzes Heck, und sie waren ganz aus einem einzigen Stück Rotholz gefertigt und erstaunlich schnell. Wenn sie sich nahe genug unserem Schiff genähert hatten, sprangen sie über Bord und schwammen herüber, die Hände voller Kokosnüsse und Yamswurzeln, die sie gegen Nägel und Glasperlen tauschen wollten. Darauf waren sie so versessen, dass sie vier oder fünf Kokosnüsse gegen einen Nagel oder einige wenige Glasperlen tauschten. So tauschten wir an jenem Tag 180 Kokosnüsse. Die Leute kamen so dicht, dass wir zu guter Letzt nicht mehr wussten, in welche Richtung wir uns wenden sollten. Und als wir unser Ruderboot zur anderen Insel hinüberschickten, um einen besseren, weniger dem offenen Meer ausgesetzten Ankerplatz zu finden, war es sofort umzingelt von zwölf oder dreizehn Kanus von der anderen Insel. Dessen Insassen aber schienen sehr wütend zu sein und hatten Stöcke aus Hartholz bei sich, die an einem Ende geschwärzt und zugespitzt waren. Sie stiegen in unser Boot und wollten es stehlen, also mussten unsere Leute sich verteidigen und feuerten drei Musketenschüsse ab. Das nahmen die Insulaner fürs Erste nicht ernst, sondern lachten und verhöhnten unsere Leute und dachten wohl, die Musketen seien nur Kinderspielzeug. Als aber die dritte Kugel einem der Ihren dergestalt in die Brust drang, dass sie am Rücken wieder austrat, eilten sie ihm zu Hilfe und riefen die anderen Boote herbei.»

Am Morgen des 12. Mai regnete es. Diesmal hielt eine Flotte von fünfunddreißig Kanus, alle schwer beladen mit Kokosnüssen und anderen Früchten, auf die *Eendracht* zu. Schon bald herrschte ein solches Gewimmel um den Rahsegler, dass die Leute ihre Waren zusammenbanden, ins Wasser sprangen und unter den anderen Kanus durchtauchten, um zum Schiffsrumpf zu gelangen. So zahlreich kletterten sie die Bordwand hoch, dass die Matrosen sie mit Stöcken zurückschlugen. Und wenn einer den Aufstieg dann doch geschafft und seinen Handel abgeschlossen hatte, sprang er über Bord und schwamm zurück zu seinem Kanu.

«Am Morgen des 13. Mai aber kamen mindestens fünfundvierzig Kanus, um mit uns Handel zu treiben, beglei-

tet zudem von einer Flotte von dreiundzwanzig Segelschiffen. In jedem Kanu saßen fünf oder sechs Männer,
in jedem Segelschiff fünfundzwanzig; was für Absichten
sie hatten, wussten wir nicht. Bald tauschten wir wieder
Kokosnüsse gegen Nägel, und alle benahmen sich, als ob
wir die besten Freunde wären; aber wir fanden bald heraus, dass das Gegenteil wahr war. Zum wiederholten Mal
luden sie uns auf die andere Insel ein. Nach dem Frühstück lichteten wir Anker, um hinzufahren. Dann näherte
sich uns auch der König mit einem Segelschiff und rief
uns sehr laut an. Wir waren gern bereit, ihn an Bord zu
empfangen, aber er lehnte ab, was wir als ein schlechtes
Zeichen deuteten. Dies umso mehr, als sich alle Kanus
und Segelschiffe immer dichter um uns versammelten.
Bald wurde auf dem Segelschiff des Königs eine Trom-
mel geschlagen, und dann stimmten sie alle ein sehr lautes Geheul an, was wir als Signal zum Angriff auf unser
Schiff deuteten.»

Das Boot des Königs trug auf dem Segel einen grau-
roten Hahn; hinter ihm reihten sich alle Segelboote und
Kanus in Schlachtordnung ein, und dann griffen sie an
unter wütendem Gebrüll. Die Insulaner waren bewaffnet
mit Steinen, die Niederländer mit Musketen. Nach zwei
oder drei Salven schwammen mehrere Tote und Verletzte
im Meer, und die Angreifer flohen in Panik.

«Wir setzten unsere Reise in Richtung West-Südwest
fort, da wir annahmen, dass der König seine Streitkräfte
– er hatte über tausend Mann zur Verfügung, von denen
einer übrigens weiß war – bald wieder formiert haben
würde. Nachdem wir etwa vier Leagues zurückgelegt

hatten, äußerten viele von unseren Leuten den Wunsch, zur Insel zurückzukehren und gewaltsam zu landen, um unsere geringen Wasservorräte aufzustocken. Aber das verboten die Anführer des Schiffes.»

Stattdessen zogen sich Willem Schouten und Jacob LeMaire in den Kartenraum zurück, um das Logbuch und die Karte nachzuführen. Die lang gezogene, flache Insel tauften sie auf den Namen «Verrader Eylandt» (Verräterinsel), da von dort die meisten Angreifer hergekommen waren. Die hohe Vulkaninsel aber nannten sie, wohl wegen des dichten Bestandes an Kokospalmen:

Cocos Eylandt.

Auf der Karte von Schouten und LeMaire ist sie auf 16° 10' südlicher Breite eingetragen. Das ist eine recht präzise Messung; moderne satellitengestützte Navigationsgeräte errechnen 15.85° südlicher Breite und 173.71 westlicher Länge. Dass die Niederländer den Längengrad nicht angaben, darf man ihnen nicht anlasten; dazu fehlten der christlichen Seefahrt bis ins 18. Jahrhundert die technischen Hilfsmittel.

Es gibt also ein zweites, vergessenes Cocos Island, das zweitausend Kilometer südlich und achttausend Kilometer westlich von jenem Cocos Island an der Küste Mittelamerikas liegt, von dem schon so viel die Rede war. Vor allem aber beträgt die Entfernung nach Samoa nur zweihundertsiebenundsechzig Kilometer; an klaren Tagen kann man von der Vulkanspitze aus die Hügelzüge Upolus sehen. «Cocos Eylandt» behielt seinen niederländischen Namen auf vielen Seekarten des 17. und 18. Jahrhunderts. Erst zu Beginn des 19. Jahrhunderts geriet er in Vergessenheit und wich dem polynesischen Namen «Tafahi»*.

* In manchen Publikationen blieben die niederländischen Namen bis in die Zeit Robert Louis Stevensons erhalten. Der französische «Nouveau Dictionnaire de Géographie Universelle» schrieb 1879, dass es im Indischen und Pazifischen Ozean viele Kokós-Inseln gebe; erwähnt werden jene im Golf von Bengalen (Keeling Islands), eine Inselgruppe nordöstlich von Papua-Neuguinea sowie Tafahi und Cocos Island vor der Küste Amerikas.

Dem unbefangenen Betrachter fällt auf, dass beide Kokos-Inseln einander auf geradezu lächerliche Weise ähneln. Beide haben die typische Kegelform erloschener Vulkane, beide sind von ähnlicher Höhe und annähernd gleichem Umfang und dicht mit Kokospalmen bewachsen. Abgesehen von ihrer geographischen Lage unterscheiden sie sich vor allem dadurch, dass jene vor Costa Rica die weltweit berühmteste aller Schatzinseln ist, während jene südlich von Samoa offiziell noch nie von Schatzsuchern besucht wurde.

Kein Wort hat Robert Louis Stevenson je darüber verloren, dass er sich im Dezember 1889 sozusagen in Sichtweite einer zweiten Kokos-Insel niederließ. In seiner gesamten schriftlichen Hinterlassenschaft wird nirgends eine Kokos-Insel erwähnt, in keinem Brief und keinem Gedicht, in keiner Kurzgeschichte und keinem seiner Südseeromane, und zwar weder die eine noch die andere, auch nicht unter dem polynesischen Namen Tafahi. Auf geradezu Misstrauen erregende Art hat Louis die südliche Nachbarinsel Samoas unerwähnt gelassen — er, dem in der gesamten Südsee kein Eiland zu abgelegen und unbedeutend sein konnte für einen Besuch und der über alle Reisen in seinen Briefen, Reportagen und Romanen stets gewissenhaft Bericht erstattete. Während seiner gesamten sieben Lebensjahre im Pazifik war er unermüdlich unterwegs von einer Insel zur nächsten, unternahm von Samoa aus kleinere Reisen im Licht der Sterne mit seinem Freund, dem Missionar William Clarke, oder mit US-Konsul Sewall, und weitere Ausflüge mit dem Postschiff, bis nach Hawaii im Norden, nach Australien und Neuseeland im Süden, und muss dabei mehrmals an Tafahi vorbeigefahren sein. Sein Cousin und offizieller Biograf Graham Balfour weist darauf hin, dass Louis vor seiner Zeit auf Samoa «fast ebenso viel Zeit damit verbrachte, andere Inseln im Stillen Ozean zu besuchen. Selbst wenn er sich ganz bewusst auf das Leben vorbereitet hätte, das ihm bevorstand, hätte er keine geschicktere Route wählen, kein gründlicheres Training absolvieren können. Er hat auf seinen Reisen außergewöhnlich gut Gelegenheit gehabt, Informationen zu sammeln; wahrscheinlich gab es zum Zeitpunkt seines Todes nur zwei oder drei Personen von gleichwertiger Bildung und Intelligenz, die über die Südsee ebenso gut Bescheid wussten wie Robert Louis Stevenson.»

Es gibt in weitem Umkreis um Samoa kaum eine Inselgruppe, die Louis nicht besucht hätte. Aus reiner Neugier war er auf den Gilbert und den Marshall Islands, auf Neukaledonien und den Ellice Islands; er war auf Olosenga, Pukopuka, und Manikiki; auf Nassau Island und Penrhyn Island, wo die Lepra wütete, und auf Suwarrow, wo von alters her vergrabene Piratenschätze vermutet werden – aber Tafahi, das sozusagen vor seiner Haustür liegt, würdigt er in seiner gesamten schriftlichen Hinterlassenschaft keines Wortes.

Vor diesem Hintergrund stellt sich aufs Neue die Frage, welche Gründe Louis denn hatte, sich so kurz entschlossen auf Samoa, dieser unscheinbarsten aller Südseeschönheiten, fürs ganze Leben niederzulassen. Erstaunlicherweise schenkt dieser Frage kein einziger der vielleicht hundertfünfzig Biografen, die in den letzten hundert Jahren Stevensons Lebensgeschichte niedergeschrieben haben, größere Beachtung. Ohne Ausnahme halten sie es für ausgemacht und keiner weiteren Erörterung wert, dass Louis hauptsächlich seiner Gesundheit zuliebe auf Samoa blieb. Und tatsächlich berichtet der Dichter in seinen Briefen unablässig, wie kräftig er geworden sei und dass er stundenlang im Sattel sitze, im Ozean schwimme und tagelang durch die Berge laufe. Diese Prahlerei sieht dem Dichter nicht ähnlich und hält der Wahrheit nicht stand; gewiss dienten die gesundheitlichen Siegesmeldungen dazu, die besorgten Freunde und Verwandten im fernen Britannien zu beruhigen. Aus zahlreichen kleinen Bemerkungen aber – mit denen er sich oft für verspätete Briefe entschuldigte – geht deutlich hervor, dass er in der Südsee mindestens genauso häufig seine Fieberschübe hatte wie in Kalifornien oder in Südfrankreich, dass er hier genauso wie in Davos oder in Edinburgh alle paar Monate Blut hustete und dass ihn auf Samoa genauso wie irgendwo sonst auf der Welt jeder Schnupfen an den Rand des Todes brachte.

5. DEZEMBER 1889: «Alles läuft wunderbar, mit Ausnahme der Gesundheit. Eine derart lange Diät mit schmaler Inselkost ist schon eine Prüfung.»

7. MÄRZ 1890: «Ich hatte eine böse Krankheit in Sydney.»

13. JULI 1890: «Zu meinem Ärger hat das Blutspucken wieder angefangen.»

AUGUST 1890: «Ich fühle mich so mies, todmüde, möchte nur noch schlafen.»

AUGUST 1890: «Ich bin wieder mal bettlägerig.»

NOVEMBER 1890: «Ich habe zurzeit Fieber.»

JANUAR 1891: «Ich sollte einen Optiker aufsuchen, bin ziemlich blind. Manchmal kann ich nicht mehr lesen.»

FEBRUAR 1891: «In Sydney hatte ich eine peitschend scharfe Attacke.»

MÄRZ 1891: «Ich bin wieder auf den Beinen nach dampfend heißem Fieber.»

APRIL 1891: «Kürzlich habe ich 23 Stunden in einem offenen Boot verbracht, jetzt bin ich ziemlich krank. Umbringen wird es mich aber wohl nicht.»

JUNI 1891: «Ich habe wieder mal ein bisschen Fieber.»

JANUAR 1892: «Den ganzen Monat habe ich mit Grippe daniedergelegen … drei Wochen lang habe ich den Stift nicht in der Hand gehabt.»

MÄRZ 1892: «Ich bin ein altes, aber gesundes Skelett.»

MAI 1892: «Am Mittwoch hatte ich eine scharfe Attacke. Ich bin ein Wrack, wie Handschrift und Stil dieser Zeilen zweifelsfrei bezeugen. Wenn ich nur eines gewaltsamen Todes sterben könnte, was wäre das für ein Erfolg! Ich will in meinen Stiefeln sterben. Ersäuft, erschossen, vom Pferd geworfen, meinetwegen am Galgen hängen – alles ist besser als diese langsame Auflösung.»

AUGUST 1892: «Mein Gekröse macht wieder mal Rabatz, ich habe gerade 15 Tropfen Laudanum genommen.»

30. SEPTEMBER 1892: «David Balfour (der neue Roman, Anm. d. V.) ist erledigt, und dessen Autor ebenfalls, oder fast.»

28. OKTOBER 1892: «Ich hatte sehr lästiges Fieber, und Schmerzen im Arm.»

JANUAR 1893: «Ich bin gründlich aus dem Gleichgewicht gewesen, erst ein Fieber, das weder kommen noch gehen will, dann akute Verdauungsstörungen.»

24. JANUAR 1893: «Wir hatten acht Fälle von Grippe, bei einem – meinem – kam erschwerend der alte Kamerad Blutspuck hinzu.»

7. APRIL 1893: «Ich bin beinahe erloschen.»

2. JUNI 1893: «Ich bin fast tot: Verdauungsstörungen, zu viel geraucht, zu viel unrentable Arbeit.»

18. JUNI 1893: «Ich bin in einem scheußlichen Zustand, habe aufgehört zu rauchen und zu trinken; jawohl, beides. Kein Wein, kein Tabak mehr.»

AUGUST 1893: «Ich muss das Tennisspielen bleiben lassen. Hatte erwartungsgemäß einen kurzen, heftigen Blutsturz.»

7. DEZEMBER 1893: «Ich war in letzter Zeit öfter verhindert, da ich zwei erhebliche Krankheiten hatte.»

APRIL 1894: «Gesundheitlich geht es mir von Tag zu Tag besser. Ich hätte jung sterben sollen, aber die Götter lieben mich nicht.»

JUNI 1894: «Ich habe mit einer üblen Erkältung zwei Wochen im Bett gelegen; noch immer habe ich nachts schlimme Hustenkrämpfe.»

SEPTEMBER 1894: «Ich denke an mein Ende. Ich habe so lange auf den Tod gewartet ...»

OKTOBER 1894: «Mit mir ist alles in Ordnung, außer der unappetitlichen Tatsache, dass ich nicht mehr so jung bin, wie ich einmal war.»

1. DEZEMBER 1894, drei Tage vor seinem Tod: «Ich habe den Weg verpasst, auf dem man leicht und natürlich den Hügel hinabsteigt. Wo ich runtergehe, ist ein Abgrund.»

Nein: Gesund war Robert Louis Stevenson nicht auf Samoa. Dass sich die Legende von seiner Genesung entgegen aller Evidenz so hartnäckig halten konnte, ist schon sehr verwunderlich. Denn es ist einfach nicht wahr, dass das samoanische Klima Robert Louis Stevenson zuträglich gewesen sei – ein Klima, in dem Denguefieber, Elefantiasis sowie schlimme Grippe- und Masernepidemien ganze Landstriche entvölkerten. Wahr ist, dass Louis alle paar Wochen krank daniederlag; wahr ist auch, dass er jedes kleine Spiel auf dem hauseigenen Tennisplatz mit einem Blutsturz bezahlte; und Tatsache ist schließlich, dass Louis von dem Tag an, da er den Fuß auf Samoa setzte, keine fünf Jahre mehr zu leben hatte. Gut möglich, dass es in Schottland mehr gewesen wären.

Eine ganz andere Wahrheit als die offiziell verbreitete verraten auch die Familienfotos, die der Ansichtskartenfotograf John Davis aus Apia im Mai 1892 auf der Veranda von Vailima machte. Sie zeigen wohl einen gereiften Mann, der sich tapfer aufrecht hält und mit der Würde eines schottischen Clanchefs in die Kamera blickt – aber ganz gewiss nicht einen jugendlichen Helden von stählerner Gesundheit, der stundenlang im Ozean schwimmt. Zu sehen ist ein Mann, dem das Ende seiner Tage ins Gesicht geschrieben steht. Seine Gestalt ist knochig wie nie zuvor. Das Haar ist schütterer denn je. Über den Wangenknochen liegen bedrohlich dunkle Augenringe. Mag sein, dass es Louis' jungenhaftem Sinn für Abenteurertum entsprach, auf kleinen Segelschiffen entlegene Vulkaninseln anzusteuern, und dass es seine Lebensgeister weckte, in der Dschungelresidenz den Patriarchen zu geben. Aber dass er auf Samoa derart gesund wurde, dass es vernünftigerweise für ihn auf dieser Welt keinen anderen Wohnort mehr geben konnte, das ist eine Legende, die Louis – vielleicht aus gutem Grund – sorgfältig am Leben erhalten hat. Ein einziges Mal nur widersprach er sich selbst, als er in einem Interview mit der neuseeländischen *Christchurch Press* sagte: «Wenn ich nur aus gesundheitlichen Gründen auf Samoa wäre, würde ich lieber zur Hölle gehen. Honolulu hat mir genauso gut getan, und die Hochalpen wahrscheinlich sogar besser. Wenn ich Samoa statt Honolulu gewählt habe, so aus dem einfachen und höchst befriedigenden Grund, dass es weniger zivilisiert war.»

Wenn es denn keine medizinischen Gründe waren, waren es vielleicht – seelische? Waren die Stevensons dermaßen glücklich in ihrem Dschungelparadies, dass sie sich eine

Rückkehr in die Zivilisation nicht mehr vorstellen mochten? Liest man die offiziellen Memoiren der einzelnen Familienmitglieder, so möchte man es glauben. Louis selbst schildert in seinen Briefen das Familienleben auf Vailima – fast immer – in den fröhlichsten Farben; Fanny beschreibt in ihrem Tagebuch jene Jahre als die anhaltend glückselige Robinsonade einer Familie, deren Mitglieder einander in ungetrübter Liebe zugetan sind. Ihre Tochter Belle malt den Alltag auf Samoa in den zartesten Pastelltönen, und Lloyd Osbourne bekräftigt in seinen Lebenserinnerungen: «Mag sein, dass Stevenson in Vailima nicht immer glücklich war, aber eines weiß ich gewiss, er war dort glücklicher, als er irgendwo sonst auf der Welt gewesen wäre.»

Auch hier aber eröffnet sich einem eine ganz andere Wahrheit beim Betrachten der Familienportraits. Das ist keine glückliche Familie, die hier auf der Freitreppe zur Veranda von Vailima zusammengefunden hat. Auf keiner einzigen Aufnahme bringt sie es zustande, zumindest für die wenigen Sekunden Belichtungszeit den Anschein von Harmonie zu erwecken, im Gegenteil: Jedes einzelne Bild ist das Portrait einer Familie, deren Mitglieder gefangen sind in einem Spinnennetz gegenseitiger Ansprüche, Aversionen und Abhängigkeiten. Mittelpunkt der Szenerie ist stets Louis, der würdevolle Patriarch. Ihm zur Rechten sitzt die Mutter, mit kerzengeradem Rücken und blütenweißer Witwenhaube. Zu seiner Linken thront Gattin Fanny – ein Vulkan von gewalttätigen Gefühlen, der jederzeit ausbrechen kann. Auf der obersten Stufe steht Lloyd, der jugendliche Dandy mit weißem Hut und

Reitstiefeln und makellos weißem Tropenanzug, der in der insularen Einsamkeit die Aufregungen von Paris, London und San Francisco vermisst. Eine Treppenstufe tiefer Belle, ihren Sohn Austin auf dem Schoß; mit verquollenen Augen neigt sie sich ihrem kräftigen, gut aussehenden samoanischen Diener Lafaele zu, der in Beschützerpose neben ihr sitzt, sein Knie gegen ihres presst und furchtlos in die Kamera blickt. Weitab von Belle, am entgegengesetzten Ende des Bildes in meterweitem Abstand zur Familie, steht einsam ihr treuloser und trunksüchtiger Ehemann Joe Strong. Schwer lehnt er sich gegen einen Pfosten, auf seiner linken Schulter sitzt ein weißer Kakadu namens Cocky, dessen Sprachkenntnisse sich übrigens in den Worten «Mamma, Mamma» erschöpften, und sein Blick geht düster hinüber zu seiner Frau und seinem Kind, die so weitab von ihm als nur irgend möglich sitzen.

Nein, glücklich waren sie gewiss nicht auf Vailima. Allesamt waren sie Gefangene auf ihrer kleinen Insel inmitten der unendlichen Wassermassen des Pazifischen Ozeans, tausende Kilometer entfernt von den heimatlichen Cafés und Boulevards und Salons, von den Galerien und Zeitungsredaktionen und Verlagshäusern und Theatern, wo sie ihrem jeweiligen künstlerischen Ehrgeiz hätten folgen können – denn den hatten sie alle, mit Ausnahme von Margaret Stevenson: Fanny wollte malen und schreiben, Belle wollte zeichnen und tanzen, Joe Strong wollte malen, Lloyd wollte Romane schreiben, und sogar der zehnjährige Austin suchte schon einen Verleger für eine selbst verfasste Geschichte. Unglücklicherweise aber zerflossen Fannys Ölfarben in der tropischen Hitze wie Wasser; Belle fehlte im Dschungel das Publikum, das ihre Zeichen- und Tanzkünste hätte würdigen können; Lloyd ahnte wohl, dass er als Schriftsteller nie aus Louis' Schatten treten würde; der kleine Austin gelangte unter Schmerzen zur Einsicht, dass er noch ein wenig üben musste; und was Joe Strong betraf, so fehlte ihm einfach die Zeit, sich nebst dem Trunk und den Weibern auch noch um die schöne Kunst zu kümmern. So konnte es nicht ausbleiben, dass unausgesprochener Neid auf den Erfolgreichen sich breit machte – der umso bitterer wurde, je mehr dessen Ruhm sich mehrte. Kam hinzu, dass ganz Vailima hauptsächlich von Louis' Einkünften lebte; eine weitere Demütigung, die vor allem Fanny schwer ertrug. «Ich wünschte, ich wäre in der Lage, eine kleine Erzählung zu schreiben und ein wenig eigenes Geld beiseite zu legen. (...) Wie wäre das wohl für einen Mann und was würde aus ihm werden, wenn er das Leben einer Frau führen müsste: ständig darum besorgt sein, dass einem jemand die Zahnarztrechnung bezahlt und ein paar neue Kleider schenkt, und immer im Voraus zutiefst dankbar sein müssen für alle künftigen Zahlungen. Ich würde sehr hart arbeiten für ein paar Pfund im Monat, und ich könnte leicht viel mehr verdienen, aber meine Stellung als Louis' Frau lässt das nicht zu.»

Umgekehrt hatte auch Louis Ansprüche an seine Familie. Von seiner Frau forderte er tägliche Fürsorge, von der Mutter vorbehaltlose Bewunderung, von der Stieftochter Bereitschaft zum täglichen Diktat, wenn ihn der Krampf in seiner Schreibhand quälte. Auch der kleine

Austin war ihm, der nichts in seinem Leben so sehr bedauerte wie die eigene Kinderlosigkeit, unentbehrlich; vielleicht war ihm sogar der saufende Wüstling Joe Strong dienstbar als das Schattenwesen des tugendhaften Clanchefs, der er selbst sein wollte. Sämtliche Mitglieder der Familie waren auf Gedeih und Verderb aufeinander angewiesen in ihrer insularen Einsamkeit; und da keiner vor dem anderen davonlaufen konnte, wuchs sich jede kleine häusliche Auseinandersetzung, die auf dem Festland mit einem Schulterzucken und einem Gang ins Kaffeehaus beendet worden wäre, zu einem homerischen Drama aus.

Unglücklicher Mittelpunkt dieses Spinnennetzes war Louis. Von ihm gingen alle Fäden aus, zu ihm führten alle hin. Er war das Objekt aller Begierden, Adressat jeder Revolte, Empfänger aller Wünsche, Zielscheibe enttäuschter Hoffnungen. Schwer büßen musste er insbesondere für sein egoistisches Ansinnen, mit drei Frauen unter einem Dach zu leben. Seine Mutter Margaret war zwar eine Lady von vollendet viktorianischer Zurückhaltung, die jeden Streit vornehm vermied; Fanny und Belle aber waren erstens Mutter und Tochter, zweitens vom selben streitlustigen Temperament und standen drittens in stetem Wettstreit um den Vorrang als engste Vertraute des Patriarchen. Dauernd gerieten sie aneinander, durchschnitt schrilles Frauengeschrei die ländliche Stille, flossen Tränen, zerschellten Gegenstände an den Wänden. Und jedesmal fiel Louis die Aufgabe zu, den häuslichen Frieden wieder herzustellen.

Jahrzehntelang haben Stevensons Biografen diese

Dramen unerwähnt gelassen oder nur vage angedeutet – einige wenige aus Gründen der Diskretion, die meisten aber, weil sie nicht wissen konnten, wie gewalttätig es in Tat und Wahrheit auf Vailima zuging. Denn bei aller Zerstrittenheit hat die Familie nach außen stets gnädig den Mantel des Schweigens über die hässlichen Szenen gelegt; und wenn Louis in einigen wenigen Briefen an Sidney Colvin doch einmal sein Herz ausschüttete, so hat der treue Freund die Briefe sorgfältig zensiert, bevor er sie der Öffentlichkeit zugänglich machte.*

«Ich muss dir da etwas erklären», heißt es etwa in einer zensierten Briefstelle vom 5. April 1893. «Wir haben hier ein wenig Sand im Getriebe. Es ist keine große Sache, aber doch einigermaßen lästig. Zu meiner Schande muss ich gestehen, dass ich nicht immer die Kraft habe, mich gut zu benehmen, wenn wieder mal der Sand knirscht. Es geht vor allem um die eine Person, musst du wissen. Ich habe oft bittere Zeiten und ertrage sie schwerer, als ich gedacht hätte; es ist ziemlich hart, diese ewigen Streitigkeiten zu ertragen, in denen es um rein gar nichts geht. Dann ist da die andere Person. Sie ist eine hohle Kreatur und ebenso gutmütig, wie eine leere Dose eben gutmütig sein kann. Und ich stehe zwischen diesen beiden und werde wahnsinnig. Die eine fängt Streit an mit der ande-

* Bevor Colvin Stevensons Originalbriefe in den Druck gab, überklebte er sämtliche Passagen, die einen intimen Einblick ins Familienleben gewährt hätten, erst mit einem schwarzen und dann mit einem weißen Papierstreifen. 1913 verkaufte er die derart zensierten Briefe an die Widener Collection in Harvard. Deren Verwaltung untersagte in der Folge jahrzehntelang die Ent-

ren, worauf die andere sich anschickt, für den Rest des Tages bittere Tränen zu vergießen. Hierauf kommt die eine – nach einer Karenzfrist von dreißig Minuten – großmütig zu mir gelaufen und berichtet mir kummervoll, wie furchtbar schlecht es der anderen gehe (was ja ganz und gar ihr Werk ist). Und mein Kopf und mein Herz sind ständig hin- und hergerissen zwischen diesen beiden. (...) Dann gibt es gewisse ständig wiederkehrende Wörter, die mich wahnsinnig machen. Ist da eine Schraube locker? Na, ich nehme es an; aber es ist keine große Sache, und wir werden schon irgendwie (bitte, lieber Gott!) aus diesem Schlamassel herausfinden.»

Es scheint vor allem Fanny gewesen zu sein, die sich in derart gewalttätige Zustände hineinsteigern konnte, dass Louis zu mitternächtlicher Stunde Doktor Funk aus Apia herbeirufen ließ. «Später. 1 Uhr 30. Der Doktor ist hier gewesen und hat zweimal gesagt, dass keine Lebensgefahr bestehe. Eine Geisteskrankheit aber wollte er nicht ausschließen. Seither habe ich wieder eine Szene erlebt, mit der ich dich nicht behelligen will. Jetzt ist sie wieder still und scheint keine Sinnestäuschungen mehr zu haben. Das ist eine scheußliche Sache. Siehst du, obwohl ich dir über all die Monate so ausführlich geschrieben habe, bin

fernung der Papierstreifen, da sie um den Erhalt der darunter liegenden Tinte fürchtete. Erst 1962 gab sie ihre Einwilligung, worauf die Streifen ohne Schwierigkeiten entfernt wurden und die zitierten Passagen zum Vorschein kamen. (Siehe Bradford A. Booth: «The Vailima Letters of Robert Louis Stevenson». Harvard Library Bulletin, April 1967, Volume XV: Number 2, S. 117–128) ich doch nicht ehrlich zu dir gewesen und habe meine geheimsten Prüfungen für mich behalten. Zuerst dachte ich, dass das alles nur gegen mich gerichtet sei; jedes Gespräch machte sie zu einer Debatte und dann zu einem Streit; bis ich sie schließlich zu meiden begann und meine Tage nach Möglichkeit allein in meinem Zimmer verbrachte. (...) Einmal hatten wir eine höllische Szene, welche die ganze Nacht dauerte. Ich werde niemals jemandem davon berichten, es wäre nicht zu glauben und sah ihr so gar nicht ähnlich und uns anderen schon gar nicht – Belle und ich mussten sie etwa zwei Stunden lang festhalten: Sie wollte davonlaufen. Dann haben wir sie hinunter nach Sydney gebracht, wo wir ein paar herrliche Wochen verbrachten. Da war ihr Wille wieder zur Ruhe gekommen – genug davon.»

Nein, es waren gewiss nicht die Wonnen dauerhaften Seelenfriedens, welche die Stevensons ans Inselparadies fesselten – im Gegenteil. Im Grunde genommen wollten alle immer nur weg. Fanny hatte Heimweh nach Kalifornien. Belle sehnte sich nach den Boulevards von Auckland und Sydney. Louis' Mutter Margaret wollte zurück nach Schottland. Louis und Lloyd waren sowieso dauernd unterwegs. Und der kleine Austin ging abwechselnd in San Francisco und in Auckland zur Schule. Während all der Jahre auf Samoa kam es kaum je vor, dass die ganze Familie friedlich auf Vailima versammelt gewesen wäre. Und wenn es doch einmal geschah, so bahnte sich unvermeidlich eines jener endlosen häuslichen Dramen an, die oft genug erst ein Ende nahmen, wenn Besuch kam und alle gezwungen waren, sich ihrer Kinderstube zu erinnern. Einer der häufigsten Besucher war Louis' Freund William Clarke, jener Missionar von der London Missionary Society, der die Stevensons bei ihrer Ankunft beobachtet und für fahrende Varietékünstler gehalten hatte. «Gestern war der herrliche Clarke fast den ganzen Tag hier bei mir oben», schrieb Louis am 15. Juni 1892. «Ich schätze den Mann vom Scheitel bis zur Sohle und mag ihn lieber als irgendjemanden auf Samoa, und lieber als die meisten Menschen überhaupt auf der Welt.» Das lässt nun auch tief blicken: Von allen Menschen auf Samoa war ihm also weder die Ehefrau noch die Stieftochter oder der Stiefsohn am liebsten, sondern William Clarke – der Mann, mit dem er in den ersten Tagen jenen geheimnisvollen Bootsausflug unternommen hatte.

Nach einem besonders schlimmen Familienstreit, bei dem es zu Handgreiflichkeiten, Delirien und Halluzinationen kam, flohen Fanny, Belle und Louis im Februar 1893 aus ihrem selbst gewählten Gefängnis und gingen an Bord der *Mariposa*, die unterwegs nach Australien war. Schon am zweiten Tag der Ferienreise ging es allen sichtlich besser. Erleichtert notierte Louis, der noch geschwächt war von einem Fieberschub und zwei kleinen Blutstürzen, dass Fanny zum Frühstück ein ganzes Hähnchen verputzt habe, «ganz zu schweigen von einem veritablen Turm heißer Pfannkuchen». Und als Fanny, Louis und Belle nach zweiwöchiger Fahrt über viertausend Kilometer im Hafen von Sydney an Land gingen, war das eine Rückkehr in die Zivilisation und der Beginn einer eigentlichen Auferstehungsfeier, die drei Wochen dauern sollte. Sie stiegen ab im Oxford Hotel an der King Street, wo Louis schon bald von den Journalisten ausfindig gemacht wurde, denen er bereitwillig stundenlange Interviews gab. Er stattete der Universität einen Besuch ab, besichtigte die Königliche Börse und trug sich ins Gästebuch ein. Er hielt eine Rede vor der Generalversammlung der presbyterianischen Kirche und eine Ansprache vor der versammelten Künstlervereinigung. Er verbrachte ganze Nachmittage beim Einkaufsbummel mit Fanny und Belle, schlürfte Austern und eisgekühlten Champagner und nahm belustigt zur Kenntnis, dass die Leute ihn auf der Straße erkannten. Er ließ sich in «Kerry's» Fotostudio fotografieren, dann bei einem Bildhauer eine kleine Büste herstellen, mit welcher er aber nicht recht zufrieden war. «Ich will nicht kritisieren, der Mann hatte sehr wenig Zeit für die Ausführung. Aber das Werk hat nach Ansicht meiner Familie große Ähnlichkeit mit Mark Twain.»

«Alles in allem hat es gewaltigen Spaß gemacht», schrieb er seinem Freund Colvin auf der Heimfahrt, kurz bevor die *Mariposa* in den Hafen von Apia einlief. «Sogar Fanny hat es zu Beginn genossen; Belle und ich vom Anfang bis zum Ende. Wir haben Fanny hinter ihrem Rücken ein Kleid gekauft, ganz pompöser schwarzer Samt und vornehme Spitzen. Leider hat sie es nur einmal anziehen wollen. Hoffentlich bekommen wir es auf Samoa häufiger zu sehen. Es ist wirklich wunderbar. Beide Damen sind jetzt königlich ausgestattet mit Seidenstrümpfen und so weiter. Wir kehren heim wie von einem Raubzug, mit unserer Beute und unseren Verwundeten im

Schlepptau. Ich selbst bin nun ein echter Dandy – hatte ja schon vor zwei Jahren angekündigt, dass ich mich mal neu einkleiden müsste. Denn zur Jugend passt ein schlampiges Äußeres, dem Alter aber steht es nicht zu. Ich bin jetzt deshalb ziemlich geschniegelt: Weißes Hemd, weiße Krawatte, frisch rasiert, seidene Socken – oh, was für ein Anblick!»

Auf jeder Zeile, in jedem Wort ist hier die Erleichterung der ganzen Familie spürbar, endlich dem Gefängnis auf Samoa entwichen zu sein, wieder den Komfort einer britischen Großstadt zu genießen, wieder Menschen zu begegnen, die die gleiche Sprache sprechen, und, vor allem, endlich einmal Ruhe zu haben voreinander. Aber dann hatte der Spaß nach nur drei Wochen ein Ende, und die Stevensons kehrten an Bord der *Mariposa* nach Samoa zurück. Man wüsste doch zu gern, weshalb. Um des reinen Vergnügens willen geschah es gewiss nicht. Denn kaum zurück auf Vailima, nahm das ewige Einerlei von Krankheit und Streit, von Genesung und Versöhnung und verzweifelter, aber immer wieder enttäuschter Hoffnung seinen Fortgang.

«Donnerstag, 5. April*. Nun gut, es ist nicht länger zu leugnen; Fanny geht es nicht gut, wir sind in großer Sorge. Weißt du, es ist nicht so, dass mit Fanny etwas falsch läuft. Es läuft nur einfach nicht richtig. Sie kann nichts

---

* Der 5. April 1893 war nicht ein Donnerstag, sondern ein Mittwoch. Robert Louis Stevenson hat in der insularen Abgeschiedenheit auf Samoa oft den Überblick über Daten und Wochentage verloren.

dafür. Erst ging sie mir schrecklich auf die Nerven, aber nun, da ich sie verstehe, bin ich voller Sorge und Mitleid.»

«Freitag, 7. April. Ich bin dankbar, sagen zu können, dass die neue Medizin Fanny sofortige Erleichterung gebracht hat. Es ist, als ob wir alle von einem Trauerflor befreit worden wären, und dieser heutige Morgen ist ah! so ein Morgen, wie du ihn noch nie gesehen hast, so frisch und süß und unvorstellbar bunt – der Himmel auf Erden. Es herrscht eine gewaltige Stille, die durchbrochen wird einzig vom fernen Murmeln des Pazifiks und dem Gesang eines einzelnen Vogels. Du kannst dir nicht vorstellen, was für eine Erleichterung das ist. Die Welt scheint mir wie neu geboren. Fanny hat solch außergewöhnliche Erholungskraft, dass ich das Beste hoffe. Was mich betrifft, bin ich so müde, wie ein Mann nur sein kann. Das alles ist eine große Prüfung für eine Familie, und ich danke Gott, dass wir sie gut zu tragen scheinen. Wir sind alle ziemlich heruntergekommen, mit Ausnahme von Lloyd. Fanny, siehe oben; ich selbst beinahe erloschen; Belle scheußlich überarbeitet und von Zahnschmerzen geplagt; der Koch liegt danieder mit einem bösen Fuß; und den Diener hat ein böses Bein umgehauen. Ach, was für eine Familie!»

Zu der Zeit, da die Stevensons auf Samoa lebten, ereigneten sich sonderbare Dinge auf Cocos Eylandt, der stillen Vulkaninsel knapp hinter dem Horizont. Plötzlich beherrschten Angst und Schrecken den Alltag Tafahis, dessen Bewohner viele Jahrhunderte lang in stillem Frieden im einzigen Dorf auf der Insel gelebt hatten, vergessen von den Göttern und Menschen. Das Dorf lag im Norden gleich hinter dem Strand, und die vielleicht dreißig Häuser hatten, wie in der Südsee üblich, keine Wände; denn erstens besaß keiner etwas, was er vor Dieben hätte schützen müssen, und zweitens waren die Menschen dankbar um jede kühle Brise, welche die feuchte Hitze unter den Palmenblattdächern aufmischte. Das brachte es mit sich, dass man unter allen Dächern hindurch vom einen Ende des Dorfes bis ans andere sehen konnte und dass jeder am Familienleben des Nachbarn teilhaben konnte; und weil man es konnte, tat man es auch. Dass in dieser kleinen Gemeinschaft jemand ein Geheimnis wahrte, war unmöglich. Und wenn sich von außen, also vom Meer her, etwas näherte – ein Unwetter, ein Vogelschwarm, ein Schiff –, so bemerkten das sämtliche Bewohner des Dorfes von weitem.

Es muss eines Tages in den letzten Jahren des 19. Jahrhunderts gewesen sein, als sich etwas Furchterregendes, nie Gesehenes, Unerhörtes der Insel näherte. Es sah aus wie ein Schiff, und es feuerte im Näherkommen Blitz und Donner ab, und sonderbarerweise ging es nicht im Norden der Insel an Land, wo sich die einzige sichere Anlegestelle befand, sondern am anderen Ende, an einem einsamen Strand im unbewohnten Süden. Ein Wesen, das Blitz und Donner von sich gab, hatten die Bewohner Tafahis noch nie gesehen. Groß war die Aufregung im Dorf; die Frauen schrien, die Kinder weinten, die Männer machten finstere Gesichter. Viele flohen, um sich im Dschungel zu verstecken. Häuptling Maatu aber behielt ruhig Blut und nahm Rücksprache mit Toumaama, seinem Medizinmann. Für den war der Fall klar: Da das Phänomen augenscheinlich weder menschlichen noch natürlichen Ursprungs war, musste es eine göttliche Erscheinung sein. Und da sich die Gottheit von Norden her näherte, musste es sich um den Fischgott Fatuulu handeln; denn der war der einzige von allen tonganischen Göttern, der so weit im Norden – auf einem kleinen Fels auf halbem Weg nach Samoa – wohnte.

Wie es scheint, machte der Medizinmann sich mutig allein auf den Weg in den Süden der Insel, um seine Aufgabe als Mittler zwischen Göttern und Menschen wahrzunehmen. Dort musste er feststellen, dass der Fischgott an Land gegangen war und unterdessen Menschengestalt angenommen hatte. Der Medizinmann eilte zurück ins Dorf und teilte dessen Bewohnern Folgendes mit: dass der Fischgott keine Sterblichen außer dem Medizinmann in seiner Nähe dulde und dass niemand sich ihm nähern, niemand ihn sehen dürfe – und dass jeder sofort tot umfalle, der es wage, das kleine Stück Sandstrand im Süden zu betreten, an dem der Fischgott in Menschengestalt sich zu schaffen machte.

Da wüsste man natürlich gern, welcher Art die Heimlichkeiten waren, die der Fischgott in der Einsamkeit trieb – beispielsweise, ob er Schaufel und Pickel bei sich hatte und ob er damit, geleitet vielleicht von einem Fetzen Papier, im Dschungel hinter dem Strand verschwand. Da aber der Priester seine Schweigepflicht einhielt, blieb das Geheimnis gewahrt. Keiner der Dorfbewohner, nicht einmal Häuptling Maatu, erfuhr jemals, was dort im Süden geschah. Und als Fatuulu nach ein paar Tagen oder Wochen wieder verschwand, wie er gekommen war – erneut unter mächtigem Blitz und Donner und nach Norden, Samoa entgegen –, ergingen sich die Menschen noch eine Weile in aufgeregten Erörterungen und Mutmaßungen. Vielleicht unternahmen ein paar Mutige einen Ausflug in den Süden und konnten nichts Erwähnenswertes entdecken, weder am jungfräulichen Korallensandstrand noch hinter den Kokospalmen am Rand des steil ansteigenden Dschungels. Da zuckten sie mit den Schultern und beschlossen, sich nicht mehr den Kopf zu zerbrechen.

Kaum aber war Gras über die Sache gewachsen, kehrte der Fischgott zurück, wiederum unter Blitz und Donner und mit übermenschlich lautem Gebrüll. Auch diesmal blieb er ein paar Tage und verschwand wieder – und tauchte nach einer Weile erneut auf. Fatuulu kam und ging alle paar Wochen, ganz wie es ihm gefiel. Jedesmal, wenn der Fischgott nahte, geriet der Priester in Trance und begann am ganzen Leib zu zittern wie ein Blatt im Wind, und dann wollte er nichts mehr essen, und sein Gesicht strahlte, und die Augen wurden starr. In ihren Verstecken konnten die Menschen dann hören, wie Fatuulu ihnen Befehle zubrüllte – und zwar durch den Mund des Priesters, und so laut, dass man dessen Stimme noch auf der neun Kilometer entfernten Nachbarinsel Niuatoputapu hören konnte. Manchmal befahl er den Menschen, ein Schwein für ihn zu schlachten.

Auffällig ist, dass Fatuulu mit derlei irdisch anmutendem Schabernack ziemlich aus der Art schlug. Alle anderen tonganischen Gottheiten nämlich pflegten sich konventionell göttlichen Aufgaben zu widmen: Sie spannten das Himmelszelt über der Erde auf, lenkten die Wanderungen der Gestirne und Vögel und Fischschwärme, regelten das Wechselspiel von Wind und Wetter, kümmerten sich um die Strömungen im Ozean sowie um die Fruchtbarkeit der Frauen und der Gärten. Von allen tonganischen Göttern war Fatuulu der einzige, der in Menschengestalt über Sandstrände spazierte, gelegentlich Lust auf Schweinefleisch verspürte und sich einen Spaß daraus machte, die Sterblichen mit Blitz und Donner zu erschrecken. Weshalb er sich ausgerechnet dieses eine Stück Strand ausgesucht hatte, war ein großes Rätsel. Es gab dort keine Kultstätte und auch sonst nichts, was der Erwähnung wert gewesen wäre; nur einen schmalen Streifen weißen Sand zwischen dem Wasser und dem steil ansteigenden Dschungel und einen großen schwarzen Felsblock am Strand, der von da an «Fatuulus Fels» hieß. Der Boden um diesen Fels war heilig. Wer immer ihn betrat, würde tot umfallen. Nicht einmal Häuptling Maatu wagte es, dorthin zu gehen.

Allerdings war die Gefahr gering, dass jemand tot umfallen würde, denn die Menschen lebten ihr Leben von alters her in der unmittelbaren Umgebung ihres Dorfes, wo sie ihre Felder und ihre Fischgründe hatten. Sie hatten keinen Anlass, jenen Strand im Süden aufzusuchen; dort gab es keinen fruchtbaren Boden, und der Fischfang gab nicht viel her. Wenn ihnen nun der Fischgott etwas verbot, was sie ohnehin nicht taten, änderte das an ihrem Alltag nichts. So gewöhnten sie sich allmählich an die Besuche des Fischgottes. Sie erschraken nicht mehr, wenn er blitzend, donnernd und brüllend vorüberzog, sondern unterbrachen nur noch kurz ihre Gartenarbeit, stützten das Kinn auf die Spitzhacke und winkten ihm zu wie einem alten Bekannten.

Aber irgendwann – wann das war, ist nicht mehr festzustellen – fiel jemandem auf, dass Fatuulu eine ganze Weile nicht mehr vorbeigekommen war. Die Leute wunderten sich und hielten Ausschau übers Meer: ein paar Tage, einige Wochen, ein halbes Jahr. Aber dann zuckten sie wiederum mit den Schultern und beschlossen, dass wohl irgendetwas den Fischgott aufgehalten habe oder dass er jetzt eine andere Insel heimsuche; und weil das Dorfleben voller Geburten und Hochzeiten und Tode war, geriet Fatuulu in Vergessenheit.

12 Blitz und Donner

Dass sich die Bewohner Tafahis von einem bisschen Blitz und Donner und Gebrüll derart erschrecken ließen, muss man verstehen; ihre Insel lag damals noch sehr weit ab vom Weltengetöse. Schon im benachbarten Samoa aber wäre die Aufregung nur halb so groß gewesen; dort war jedem Kind klar, dass Blitz und Donner nicht unbedingt meteorologischen oder göttlichen Ursprungs sein müssen, sondern auch beim Abbrennen von Feuerwerk entstehen; in früheren Jahren hatten die Missionare der London Missionary Society bei der Anfahrt auf die Inseln Samoas gewohnheitsmäßig Raketen abgefeuert, um die Bewohner in Angst und Schrecken zu versetzen. Stevensons Freund William Clarke ging noch einen Schritt weiter, indem er 1891 die Londoner Zentrale in zahlreichen Briefen um Finanzierung einer möglichst lichtstarken Laterna Magica bat, mit der er Glasplattenbilder in den Dschungel projizieren wollte. Als der Schatzmeister nach langem Zögern für den Kauf endlich 25 Pfund bewilligte, bestellte Clarke in Glasgow einen Projektor sowie Glasplattenportraits von Queen Victoria und allerlei Prinzen, Fürsten und Präsidenten. Was für ein furchterregender Anblick deren riesenhafte Projektion im nächtlichen Südseedschungel gewesen sein muss, mag man sich gar nicht ausmalen.

Auch an übermenschlich lautes Gebrüll hatten sich die

Samoaner gewöhnt, seit Louis' Freund Harry J. Moors die ersten Edison'schen Lautsprech- und Musikautomaten importiert hatte. Thomas Alva Edison hatte den Schallwandler – einen Lautsprecher, der ohne Strom auskommt – im Jahr 1870 erfunden, den Phonographen 1877; in den kommerziellen Handel war Letzterer 1887, also drei Jahre vor Stevensons Ankunft auf Samoa, gelangt.

Was übrigens Blitz und Donner betrifft, so erzählt Fanny in ihrem Tagebuch eine interessante Anekdote: dass sie nämlich wenige Tage nach dem Kauf von Vailima zusammen mit Louis und Lloyd eine Reise nach Neuseeland und Australien unternahm und dass sie auf der Rückfahrt in Auckland eine erhebliche Menge Feuerwerk kauften. «Lloyd hatte einige Bedenken wegen der Entflammbarkeit des ‹Calcium fire› und erklärte dem Apotheker, dass das Feuerwerk per Schiff transportiert würde. Der Mann schwor aber, dass es harmlos sei wie eine Packung Zucker und ein Streichholz zum Zünden nicht ausreiche. ‹Möchten Sie es mit oder ohne Rauch?›, fragte der Apotheker. Lloyd beschloss, alles zu nehmen, was er für sein Geld bekommen konnte, und verlangte Feuerwerk mit Rauch. Wir verließen Auckland um ungefähr acht Uhr abends, und die Lichter der Stadt folgten uns noch lange Zeit. Ich saß im Salon und aß Butterbrote. Plötzlich fing in Lloyds Kabine ein großes Knallen und Zischen an, gefolgt von prächtigen Flammen und fürchterlichem chemischem Gestank. Das Calcium Fire, das so harmlos wie eine Packung Zucker sein sollte, hatte sich entzündet und das übrige Feuerwerk in Brand gesteckt. Dass mittendrin auch noch Gewehrpatronen lagen, wussten nur Lloyd und ich. Wir schwiegen diskret, obwohl wir jeden Augenblick damit rechneten, dass uns Kugeln um die Ohren pfiffen. Ich rannte in unsere Kabine und holte eine schwere rote Decke. Louis, der keine Ahnung von dem Feuerwerk gehabt hatte, war wie vom Donner gerührt. Er betrachtete die vielfarbigen Flammen und schnupperte die giftigen Gase, und schließlich sagte er: Das sieht ja aus wie Weihnachten!»

Da sich nun so eins zum anderen fügt, wird eines klar: Es spricht zumindest nichts dagegen, dass hinter dem Fischgott Fatuulu niemand anderer als Robert Louis Stevenson steckte. Im Gegenteil ist es sehr wohl denkbar, dass er in den ersten Tagen auf Samoa eine überraschende Entdeckung machte – eben die, dass Tafahi früher Cocos Eylandt hieß. Vielleicht hat ihm auf jenem ersten Bootsausflug im Dezember 1889 William Clarke eine alte Seekarte gezeigt, auf der noch der alte Name stand; oder Louis stieß selber bei seinen Recherchen darauf, vielleicht im Gespräch mit dem deutschen, dem britischen oder dem amerikanischen Konsul. Dann aber muss ihm der Gedanke gekommen sein, dass Generationen von Schatzsuchern den Kirchenschatz von Lima auf der falschen Insel gesucht haben. Und wenn er in seinen Überlegungen so weit gekommen war, so liegt es auf der Hand, dass er der Sache vor Ort nachgehen wollte und die geplante Heimreise nach Schottland um eine Weile verschob.

Im Unterschied zur ersten Kokos-Insel hatte die zweite den Nachteil, dass Menschen auf ihr lebten; die Fürsten und Könige des Königreichs Tonga waren seit jeher als kriegerische Herrscher bekannt, die eifersüchtig über ihr Reich wachten. Es war ganz unmöglich, dass sich die Stevensons geradewegs auf Tafahi niederließen, um im hellen Licht des Tages auf Schatzsuche zu gehen. Auf Samoa hingegen, das nur eine Tagesreise entfernt war, konnte die Familie unauffällig heimisch werden in der exzentrischen Gesellschaft von dreihundert Europäern, die hier aus den verschiedensten, mehr oder weniger plausiblen Gründen vor Anker gegangen waren; nicht mitten in Apia, wo es von neugierigen Nichtstuern wimmelte, aber auch nicht allzu abgelegen von der Stadt, damit die Versorgung gewährleistet blieb. Da lag Vailima ideal.

Nachdem nun ein diskretes Basislager zur Verfügung stand, musste Louis dafür sorgen, dass die Freunde und Verwandten zuhause in Schottland keinen Verdacht schöpften. Er musste ihnen glaubhaft erklären, weshalb er sich für den Rest des Lebens auf Samoa niederließ – wegen des angenehmen Klimas eben, wegen sprunghaft verbesserter Gesundheit, dem Zauber der tropischen Landschaft, den Freuden autarker Landwirtschaft.

Wenn Louis häufige Schiffsreisen ins Auge fasste, konnte ihm der Hafen von Apia natürlich sehr von Nutzen sein. Allerdings ist zu sagen, dass Häfen für Geheimniskrämereien grundsätzlich der falsche Ort sind. Jedes ein- und auslaufende Schiff wird von hundert Augenpaaren verfolgt und muss sich an- und abmelden, Gebühren bezahlen und Rechenschaft ablegen über Woher, Wohin, Womit und Mitwem und Weshalb. Gewiss hätte es Louis ein oder zwei Mal gelingen können, unbemerkt aus dem Hafen zu verschwinden an Bord dieses oder jenes Schiffes; regelmäßige Ausfahrten im eigenen Boot mit unbekanntem Ziel aber hätte er niemals unbeobachtet unternehmen können – es sei denn, er wäre gar nicht vom Hafen aus in See gestochen, sondern vom Strand irgendeiner kleinen, verschwiegenen Bucht, und zwar mit einem jener eleganten samoanischen Auslegerboote, die ohne Schwierigkeiten übers Riff ins offene Meer gelangen und überdies die zweihundertsiebenundsechzig Kilometer nach Tafahi doppelt so schnell zurücklegen wie jedes europäische Schiff.

Wer eine Fahrt nach dem Süden unternimmt, sticht vorzugsweise an der Südküste in See und vermeidet so neugierige Blicke und eine lange, gefährliche Fahrt um die Insel am Riff entlang. Von großem Vorteil war in diesem Zusammenhang, dass der einzige Weg, der von Apia aus quer über die Insel nach Süden führte, knapp zweihundert Meter östlich vom Stevensonschen Anwesen lag. Wenn Louis sein braves Pferdchen Jack zur Eile antrieb, konnte er die fünfzehn Kilometer entfernte Südküste bequem in drei Stunden erreichen. Die «Cross Island Road» ist bis heute die wichtigste Nord-Süd-Verbindung auf der Hauptinsel Samoas. Die deutsche Kolonialverwaltung hat den Pfad fünf Jahre nach Stevensons Tod zur Straße ausgebaut.

Alleine wird Louis sich kaum je auf den Weg gemacht haben. Vielleicht hat ihn sein Stiefsohn Lloyd begleitet, womöglich auch William Clarke oder Harry Moors, und gewiss war eine samoanische Bootsmannschaft von fünf bis acht Mann mit an Bord. Denkbar ist auch, dass einige Expeditionen ohne Louis stattfanden, wenn ihn eine seiner zahlreichen Krankheiten ans Bett fesselte. Dann war es vielleicht Lloyd, der als Louis' rechte Hand amtete, bei der Anfahrt auf Tafahi das «Calcium Fire» zündete und die Edisonschen Gerätschaften in Stellung brachte. Tatsächlich war Lloyd auffällig oft auf Reisen, und zwar ohne Zeugen. Mal gab er an, dass er zum Schlittschuhlaufen nach Neuseeland fahre, oder zum Wellenreiten nach Hawaii, oder zum Flanieren nach San Francisco. Manchmal nannte er überhaupt kein Ziel. Auffällig ist, dass es über diese Expeditionen kein Zeugnis von Drittpersonen und kaum Fotos gibt.

Übrigens kommt nebst Lloyd Osbourne, Harry Moors und William Clarke noch ein vierter Mann als Schatzsucher infrage: Louis' schottischer Cousin Graham Balfour, der 1892 auf Vailima eintraf. Er war studierter Jurist und vierunddreißig Jahre alt, ein fröhlicher, groß gewachsener Bursche mit blondem Schnurrbart und darüber hinaus ledig, weswegen sich die frisch geschiedene Belle umgehend in ihn verliebte. Graham aber brachte ihr kein sinnliches Interesse entgegen, sondern quartierte sich in Lloyds Junggesellenpavillon ein. Eigentlich wollte er nur einen Monat bleiben, aber dann wurde ihm Vailima über Jahre zum Basislager, von dem aus er auf weitgehend unbekannten Wegen rastlose Reisen durch die Südsee unternahm.

Die Landung an der Südküste Tafahis ist nicht einfach. Es erforderte viel Geschicklichkeit von den samoanischen Bootsleuten, übers Riff in die stille Lagune zu gelangen. Gut möglich, dass ihnen jener markante schwarze Fels als Wegmarke diente, den die Einheimischen schon bald

«Fatuulus Fels» taufen sollten. Einmal am Strand angelangt, gruben die Männer wohl im Sand, erforschten während Tagen oder Wochen die steilen Vulkanhänge und das
ufernahe Wasser, und abends bestellten sie bei den Eingeborenen mittels Schallwandler ein gegrilltes Schwein.
Und wenn die Vorräte ausgingen, fuhren sie heim nach
Samoa, wo Louis seinen bürgerlichen Beruf als Schriftsteller wieder aufnahm. Über Piraten und Schatzinseln
verlor er in jenen Jahren kein Wort mehr. Und wenn er
Südseegeschichten schrieb, so betonte er stets, dass diese
ihm aus heiterem Himmel zugefallen seien. Interessant
ist immerhin, dass in der Erzählung «The Beach of Fa-
lesa», geschrieben 1892 im dritten Jahr auf Samoa, ein
weißer Abenteurer und Tunichtgut namens Case auftauchte, der in einer einsamen Inselbucht sein Unwesen
trieb und die abergläubischen Einheimischen fernhielt,
indem er Holzkisten mit Mandolinensaiten in die Bäume
hängte. Wenn der Wind über die Saiten strich, erklangen
Geistergesänge und säten namenloses Entsetzen bei den
Insulanern.

Gut möglich, dass Louis sich auf der zweiten Kokos-
Insel ebenso vergeblich abmühte wie auf der ersten Insel
August Gissler und die tausend Schatzsucher vor und
nach ihm. Falls er aber tatsächlich Gold und Silber und
Edelsteine fand, so hat er wohl möglichst viel davon ins
Boot getragen – die filigranen samoanischen Auslegerboote können erstaunliche Nutzlasten von mehreren Zent-
nern aufnehmen – und die Beute übers Meer nach Vailima gebracht. Dann wird er ein paar Wochen gewartet
haben, bevor er unter Blitz und Donner wiederkehrte

und die nächste Ladung holte. Der riesige Tresor, der bis auf den heutigen Tag in der großen Halle von Vailima steht, hätte eine oder zwei Bootsladungen voll Gold und Edelsteine aufnehmen können; aber Louis' Ziel konnte es ja nicht sein, den Kirchenschatz einfach von Tafahi nach Samoa – also von einer Insel auf die nächste – zu transportieren. Denn ein wirklich reicher Mann ist der Schatzsucher noch lange nicht, wenn er die spanischen Golddublonen in Händen hält. Um die Früchte seines Glücks genießen zu können, muss er das Gold erst zu Geld machen, das heißt: Er muss die Dublone in Dollar wechseln, die Schatztruhe in ein Bankkonto verwandeln. Das aber war auf Samoa nicht möglich. Wohl gab es in Apia einige Handelsleute, die auch Bankgeschäfte abwickelten – unter ihnen natürlich Harry Moors –, aber wenn Robert Louis Stevenson große Mengen Piratengold in den legalen Geldkreislauf einschleusen wollte, war er auf die diskrete Hilfe großer Bankhäuser in anonymen Großstädten angewiesen, in denen nicht allzu viele Fragen gestellt wurden über die Herkunft der eintreffenden Vermögenswerte. Aus Gründen der Sicherheit und der Diskretion mochte es auch sinnvoll sein, nicht den ganzen Schatz in einem einzigen gewaltigen Transport zur Bank zu bringen – eventuell mit einem Zwischenstopp bei einem Hehler oder einem Goldschmied, der über einen ausreichend großen Schmelzofen verfügte –, sondern viele kleine Portionen auf mehrere Bankhäuser zu verteilen. In diesem Fall war es nötig, dass regelmäßig kleine Reisen nach Sydney, Auckland oder Honolulu unternommen wurden. Und tatsächlich sind die Mitglieder des Stevenson-Clans während ihrer fünf Jahre auf Samoa bemerkenswert oft auf kleineren Reisen gewesen.

1890: Louis fährt zwei Mal nach Sydney und Auckland – ohne Angabe eines präzisen Grundes. Fanny reist tausend Kilometer nach den Fidschi-Inseln, um einen Koch anzuheuern. Lloyd wird nach England geschickt, um Möbel zu beschaffen.

1891: Louis fährt nach Sydney, um seine Mutter und Lloyd abzuholen, die aus England anreisen. Lloyd unternimmt von da an häufige Reisen mit unbekanntem Ziel.

1892: Louis' Cousin Graham Balfour trifft ein. Er unternimmt von Vailima aus während zweier Jahre zahlreiche Reisen durch die Südsee. Belles Sohn Austin Strong fährt nach Monterey, Kalifornien, zur Schule und kehrt jeweils zu Ferienbeginn heim nach Samoa.

FEBRUAR 1893: Louis, Fanny und Belle fahren auf Erholungsurlaub nach Sydney.

SEPTEMBER 1893: Louis fährt nach Hawaii.

OKTOBER 1893: Fanny holt Louis in Hawaii ab.

MAI 1894: Lloyd fährt nach Neuseeland, um Schlittschuh zu laufen.

DEZEMBER 1894: Kurz nach Louis' Tod macht Lloyd eine Erholungsreise.

Gesagt werden muss auch, dass schon im 19. Jahrhundert nicht deklarierte Piratenschätze vor dem Gesetz illegale Vermögenswerte darstellten; der glückliche Finder musste sich also bemühen, die Herkunft des Geldes zu verschleiern, indem er es mit einer rechtmäßigen und glaub-würdigen Legende versah. Heute nennt man diesen Vor-gang Geldwäscherei. Korrupte Politiker, Drogen- und Waffenhändler sowie Wirtschaftskriminelle unternehmen große Anstrengungen, um schmutziges Geld in legale, aber schwer durchschaubare Geschäfte zu investieren. Manche kaufen Bilder von Gauguin oder van Gogh, von denen niemand sagen kann, wie viel sie wirklich wert sind, andere kaufen Fußballspieler oder ganze Fußball-klubs oder Spielcasinos. In einem zweiten Schritt ver-steuern sie dann riesige Gewinne, die in Tat und Wahr-heit nie erzielt wurden – mit dem Erfolg, dass das zuvor illegale Vermögen plötzlich eine legale Herkunftslegende hat. Die Zahl der Mitwisser sollte bei all dem möglichst gering gehalten werden. Und wenn es zu viele werden, geschieht es zuweilen, dass der eine oder andere vorzei-tig das Zeitliche segnet.

Die meisten dieser Tricks waren zu Robert Louis Ste-vensons Zeit noch nicht praktikabel. Der Kunsthandel steckte in den Kinderschuhen; van Gogh hatte zur Zeit, da Stevenson sich auf Samoa niederließ, erst ein einziges Bild verkauft (den «Roten Weinberg» für vierhundert Francs), und Gauguin sollte 1891 erstmals nach Tahiti reisen; und was den Fußball betraf, so wurde der welt-weit noch ehrenamtlich betrieben. Im Immobilienhandel aber verschwanden Ende des 19. Jahrhunderts unge-heure Summen an Schwarzgeld und erzielten gewaltige Gewinne; namentlich im Westen der USA. Und verviel-facht wurden diese Gewinne im 20. Jahrhundert, als auf den Immobilien auch noch Erdöl entdeckt wurde.

Das also ist der Weg, den der Kirchenschatz von Lima genommen haben könnte, falls Robert Louis Stevenson ihn tatsächlich auf Tafahi geborgen hat. Und siehe da: Wie sich noch weisen wird, ist erstens der Stevenson-Clan nach Abschluss des Südsee-Abenteuers in den kalifornischen Immobilienhandel eingestiegen. Zweitens soll auf einem dieser Grundstücke Erdöl gefunden worden sein. Und drittens sind auffällig viele Mitglieder des Clans vorzeitig gestorben, und zwar an sehr ähnlichen Todesursachen – bis zum Schluss nur noch eine einzige Überlebende übrig blieb.

13 Die Pirateninsel

Im September 1893 unternahm Louis wieder einmal eine seiner überraschenden Reisen, ohne einen plausiblen Zweck anzugeben. Er ging in Apia an Bord des Postdampfers *S. S. Mariposa*, um eine Woche lang viertausendfünfhundert Kilometer nordwärts nach Hawaii zu fahren – «einfach so, um wieder mal unterwegs zu sein». Mit dabei waren sein Cousin Graham Balfour und Louis' samoanischer Diener Ta'alolo. Nach einer Woche Aufenthalt, so war es geplant, würden sie mit dem nächsten Dampfer wieder heimkehren. Auf der Hinfahrt aber erkrankte Ta'alolo an Masern; die hawaiianischen Behörden ließen ihn am 20. September wohl an Land gehen, steckten ihn jedoch in Quarantäne. Während Louis und Graham sich im Sans Souci Hotel auf Waikiki Beach einquartierten, wurde Ta'alolo nahebei in einer einsamen Strandhütte untergebracht. Ein Wächter gab scharf acht, dass er nicht entwich und keinen Besuch erhielt.

Louis genoss die Rückkehr in die Zivilisation. Er bestellte einen Kutscher, der für die ganze Dauer seines Aufenthalts ausschließlich für ihn da sein sollte, und ließ sich von einem gesellschaftlichen Anlass zum anderen fahren. Er stattete der eben entthronten Königin Lilioukulani einen Besuch ab, hielt eine Rede vor dem «Scottish Thistle Club», dem Verein hawaiianischer Auslandschotten, und hielt wie immer Hof für die Journalisten – und wenn die

Zeitungsschreiber nicht zu ihm ins Hotel kamen, suchte er sie eben in ihren Redaktionen auf. Am Tag vor der Heimreise aber erlitt er eine Lungenentzündung und bekam hohes Fieber, begleitet wohl auch von seinem «alten Freund Blutspuck». An eine Seereise war nicht mehr zu denken; er schickte nach Doktor Trousseau, dem berühmtesten Arzt auf Hawaii, und gab der *Mariposa* eine Depesche für Fanny mit, dass sie ihn in Honolulu abholen solle.

George Philippe Trousseau war Franzose und sechzig Jahre alt; er amtete als Leibarzt des hawaiianischen Königshauses, hatte viele Jahre in Honolulu als Seuchen- und Hafenarzt gedient und nebenher eine Straußenfarm, eine Zuckerrohrplantage und eine Schafzucht betrieben. Wenn ihm auf Hawaii etwas fehlte, so war es das gelehrte Gespräch mit Menschen seines Standes und seiner Bildung. Er genoss es deshalb sehr, Robert Louis Stevenson zum Patienten zu haben; jeden Tag machte er seine Visite im Sans Souci, rückte einen Stuhl neben das Bett des lungenkranken Patienten und steckte sich eine Zigarre an, um sich eine Stunde oder zwei mit dem berühmten Dichter über die schöne Literatur zu unterhalten. Eines Tages empfahl der Arzt seinem Patienten, doch mal eine polynesische Geschichte in Versform zu schreiben. Louis erwiderte, dass eine gute Geschichte die Krämpfe lyrischer Förmlichkeit nicht ertrage. Da aber Doktor Trousseau am Gymnasium in Paris Latein und Griechisch gelernt hatte, wollte er diese Geringschätzung von Hexametern und Pentametern nicht hinnehmen; er bat den Dichter, doch wenigstens einen Versuch zu unternehmen. Und da er nicht klein beigeben wollte, rief Louis schließlich, vom Fieber noch immer geschwächt: «Na gut! Dann versuchen wir's gleich jetzt!» Er nahm Stift und Papier hervor und hieß den Arzt zu schweigen, bis er seine Zigarre zu Ende geraucht habe. Eine halbe Stunde später reichte er Doktor Trousseau ein Blatt Papier, auf dem eine Art Reisebeschreibung stand.

Die Pirateninsel

Wir segelten am Montag abend los,
hinaus ins Purpur und ins Gold,
Unsres warmen Ozeans. Wir waren sechs –
Vier treue Braune und zwei Weiße – und nahmen Kurs
Auf unbekannte Häfen. Noch nie hatten meine
   Samoaner
Sich so weit fort gewagt; noch hätten sie's getan,
hätt' ich nicht ihren Mut gestärkt.
Als nach fünf Tagen Fahrt – oder sogar mehr –
kein Land zu sehen war, und wär's nur ein Atoll,
Da hatten wir, das war mir klar, unser Ziel verfehlt.
Laut meiner Karte nämlich hätte hier
ein Eiland liegen müssen, an dessen Ufern, lang ist's
   her –
wie die alten Chiefs berichten – Piratengold vergraben wurde,
auf schweren Schiffen hergefahren, von wo der
   Pfeffer wächst,
weit weg am andren Rand der See.

Auf diesem kleinen Eiland nun, so meine Samoaner,
Gibt's einen hohlen Berg, ganz nah am Strand.
Dort sind Kanus versteckt, randvoll mit glänzend'
  Gold,
In Barren und in Klumpen, von edelstem Gehalt,
Und Perlen schwarz und weiß, für des Häuptlings
  Ohren.
Diese Legende war's, die meiner Samoaner Sehn-
  sucht
Seit frühster Kindheit schon aufs offne Meer
  getrieben,
Und ihnen Kraft zum Rudern gab.
Als ich dann aber rief: «Kinder! Wir haben uns
  verfahren!»
Da fing der Knabe Upolu ganz schrecklich an zu
  heulen,
Bis dass Chief Kimo ihn streng ermahnte: «Sei still,
Du junger Tor, und mache keine Schande,
Nicht Dir, nicht Deinem Elternhaus, noch Deinem
  Volk;
Und lass nicht zu …»

An dieser Stelle bricht das Fragment ab. Ganz unten auf
der Seite schrieb Louis: «Sir, das ist wohl nicht das Gelbe
vom Ei, aber es ist genug. Sie können daran erkennen,
dass Prosa bei weitem am geeignetsten ist, eine realisti-
sche Handlung wiederzugeben. Behalten Sie dies bitte als
Beweis dafür, wie gut gemeinte Vorschläge an der Praxis
scheitern. Es grüßt Sie hochachtungsvoll, Ihr gehorsamer
Diener, R. L. S.»

Das Fragment blieb in George Philippe Trousseaus Privatbesitz und hat – aus welchen Gründen auch immer – nie Eingang in Robert Louis Stevensons offizielle Werkausgaben gefunden.

14 «Sehe ich seltsam aus?»

Der letzte Tag in Louis' Leben war der 3. Dezember 1894. Wie üblich hatte er sich morgens kurz vor sechs Uhr, als auf Vailima noch alles schlief, an die Arbeit gemacht – das heißt, er hatte sich in seinem Bett aufgesetzt, ein paar Kissen in den Rücken geschoben und Bleistift und Papier zur Hand genommen, um Kapitel neun seines jüngsten Romans, «The Weir of Hermiston», der unvollendet bleiben sollte, zu skizzieren. Eine Stunde später hatte ihm wohl ein Diener eine Orange zum Frühstück gebracht, und nach weiteren zwei Stunden war Belle zum Diktat erschienen. Nachmittags nahm er ein Bad im kleinen Weiher hinter dem Haus, welcher der Familie als Schwimmbecken diente, und als die Sonne hinter dem Berg verschwand, ging er in sein Zimmer im Obergeschoss, um sich für den Abend umzuziehen. Als er kurz nach sechs Uhr die Freitreppe herunterkam, fand er Fanny auf der Veranda in der düstersten Stimmung vor. Sie hatte seit Tagen fürchterliche Vorahnungen, dass einem ihrer Lieben demnächst etwas Schlimmes zustoßen werde; sie fühlte ganz sicher, dass es Graham Balfour treffen werde, der gerade wieder mal auf dem Ozean unterwegs war. Louis versuchte sie mit fröhlichem Geplauder abzulenken, nötigte sie zu einem Kartenspiel und schlug fürs Abendessen einen «Vailima-Salat» vor. Er holte eine Flasche Burgunder und machte sich an die Zubereitung des

Salats, mischte eifrig Öl und Limettensaft für die Sauce. Plötzlich griff er sich an den Kopf und rief: «Was ist das? Oh, was für ein Schmerz! Sehe ich seltsam aus?» Fanny verbarg ihren Schreck und sagte Nein, aber dann ging Louis zu Boden. Fanny und ihr Diener Sosimo brachten ihn ins Haus, zu seinem grünen Lieblingssessel beim Kamin im Großen Salon, der einst seinem Großvater Robert Stevenson, dem Erfinder des unterbrochenen Leuchtturm-Blitzfeuers, gehört hatte. Sie rief nach Belle und Louis' Mutter Margaret, und schließlich kam auch Lloyd aus seinem Junggesellenpavillon herübergerannt. Louis hing mit weit aufgerissenen Augen im Sessel und atmete schwer; Fanny rief ihn unablässig beim Namen, aber er gab kein Zeichen des Erkennens. Die Frauen verlangten nach einem Klappbett, und Lloyd und Sosimo hievten ihn hinein. Als sich Fanny, Belle und Margaret anschickten, ihm die Reitstiefel auszuziehen, protestierte Lloyd – schließlich habe Louis immer gesagt, dass er in seinen Stiefeln sterben wolle. Die Frauen aber wollten lieber Erste Hilfe leisten als vorauseilend und buchstabengetreu Louis' letzten Willen erfüllen; also wurde Lloyd nach Apia geschickt, um alle verfügbaren Ärzte zu holen. Doktor Bernhard Funk von der Deutschen Handelsgesellschaft diagnostizierte ein Blutgerinnsel im Gehirn, das zu einem apoplektischen Anfall geführt habe; Doktor Robert W. Andersen vom britischen Kriegsschiff *Wallaroo* stellte eine Gehirnblutung fest. Fanny versuchte vergeblich, Louis wiederzubeleben, indem sie seine Arme mit Brandy einrieb. Als Anderson die knochendürren Arme sah, entfuhr es ihm: «Wie kann jemand mit solchen Ar-

men nur Bücher schreiben?» Worauf Fanny antwortete: «Er hat all seine Bücher mit solchen Armen geschrieben.»

Kurz nach den Ärzten traf der Missionar William
Clarke ein, Louis' bester Freund. Alle umringten das Sterbebett. Fanny und Belle versuchten weiter, mit Brandy
den Kreislauf des Sterbenden zu stärken. Lloyd hielt ihn
in den Armen, und Margaret und Clarke knieten am Bett-
rand und beteten, während Louis' Atem immer schwä-
cher wurde. Um zehn nach acht Uhr setzte er aus.

Fanny wusste, dass der Leichnam spätestens nachmittags um drei Uhr des folgenden Tages beerdigt sein
musste, da in den Tropen die Verwesung rasch einsetzt.
Klar war auch, dass Louis sein Grab auf Mount Vaea finden sollte, wie er es gewünscht hatte. Einen Pfad auf den
Gipfel gab es nicht. Also schickte Fanny ihre Diener
nach den umliegenden Dörfern und ließ die Chiefs bit-
ten, noch in der Nacht einen Pfad hinauf auf Mount Vaea
zu schlagen. Sofort eilten zweihundert Männer herbei und
verteilten sich auf der ganzen Strecke von Vailima bis auf
den Gipfel, und dann machten sie sich im Dunkeln an die
Arbeit mit Buschmessern, Pickeln, Schaufeln, Hacken
und Stemmeisen. Die ganze Nacht hörten die Bewohner
Vailimas ihre gedämpften Rufe, das Krachen fallender
Urwaldriesen und die lateinischen Gebete, welche die
samoanischen Hausangestellten von den Missionaren gelernt hatten. Wer mit seinem Wegstück fertig war, lief
hinauf zum Gipfel, um eine Lichtung für die Grabstätte
zu schlagen, oder hinunter zum Strand, um weißen Korallenkies und schwarzes Lavagestein zu holen, der tradi-

tionellen Ruhestätte für Könige und ranghohe Chiefs. Unterdessen salbten die Diener Louis' Körper mit Kokosnussöl ein, das parfümiert war mit dem süßen Blütenduft des Ylang-Ylang-Baumes (Canangium odoratum). Entgegen samoanischer Sitte wurde er aber nicht in feine Matten gewickelt, sondern nach europäischem Brauch in einen Sarg gelegt, den Tischler Willis aus Apia noch in der Nacht vor Ort anfertigte. Während er sich über Louis' Leichnam beugte, um Maß zu nehmen, weinte er. Dann wurde Louis in seine Samtjacke gekleidet, und zuletzt wurde der Union Jack über seiner dünnen Gestalt ausgebreitet.

Als am folgenden Tag die Sonne am höchsten stand, war der Pfad fertig, und der Trauerzug begann den steilen Aufstieg. Der ranghöchste Chief ging voran, gefolgt von seinem Sekundanten, der auf einem Muschelhorn tiefe, lang gezogene Töne blies. Dann kam der Sarg. Auf der ganzen Länge des steilen Wegs hatten sich Männer in Vierergruppen aufgestellt, um einander den Sarg vorsichtig weiterzureichen. Der Weg führte über feuchten Lehmboden und glitschiges Lavageröll und war gesäumt von tropfend nassen Farnen und Sträuchern. Schon bald verließen Margaret und Fanny die Kräfte, und sie mussten umkehren. Die anderen erreichten nach einer Stunde die kleine Ebene beim Gipfel, in deren Mitte das offene Grab lag. Reverend William Clarke hielt die Totenmesse und trug ein von Louis verfasstes Gebet vor. Schließlich stellten sich vier Samoaner in die Grube und nahmen den Sarg entgegen, legten ihn auf sein Bett aus Lava und Korallen, schütteten einen Erdhügel über ihm auf und bedeckten diesen wiederum mit schwarzem Lavagestein. Zuletzt steckten sie am Kopfende des Grabes einen Ast in die Erde und befestigten daran ein kleines Blechkreuz. Und damit Louis' Totenruhe nicht gestört werde, beschlossen die Chiefs, dass um Mount Vaea das Abfeuern von Schusswaffen auf alle Zeit verboten sein solle.

15 Der Flaschenkobold zieht weiter

Ihres einzigen Ernährers beraubt, blieben Fanny, Belle, Lloyd und Austin allein auf Vailima zurück. Dass einer von ihnen jemals in nennenswertem Maß Geld verdienen würde, war nicht zu erwarten. Der dreizehnjährige Austin war ein sehr mittelmäßiger Schüler ohne besondere Begabung. Fanny und Belle hatten zeitlebens einen männlichen Ernährer gehabt und immer mehr Geld ausgegeben, als da war. Und Lloyd Osbourne war in Anspruch genommen von seinen Partys, Vergnügungsreisen, Billardturnieren und Eingeborenenmädchen. Er wäre sehr erstaunt gewesen, wenn man von ihm verlangt hätte, sich finanziell nicht nur ausgabenseitig, sondern auch einnahmenseitig, womöglich gar mit Lohnarbeit, zu engagieren.

Die Einzige auf Vailima, die wirklich Geld hatte, war Louis' Mutter Margaret. Sie verwaltete das Familienvermögen der Stevensons. Aber sie entschloss sich wenige Tage nach Louis' Tod, heim nach Schottland zu fahren, um ihre alten Tage an der Seite ihrer Schwester Jane Whyte Balfour in Edinburgh zu verbringen. Zwei Jahre später sollte sie an einer Lungenentzündung erkranken und im Fiebertraum ihren einzigen Sohn am Fußende des Bettes stehen sehen. «Da ist Louis! Ich muss gehen!», rief sie und starb am folgenden Tag.

Interessanterweise aber gerieten die auf Vailima Zurück-
gebliebenen nie in die unangenehme Lage, für Geld arbeiten zu müssen. Auch Harry Moors hatte keinen Grund
zur Klage; seine Geschäfte liefen derart gut, dass er
bis an sein Lebensende zweiunddreißig Jahre später der
größte einzelne Steuerzahler auf Samoa bleiben sollte.
Bemerkenswert ist auch, dass Louis' bester Freund William Clarke unmittelbar nach dessen Tod die Mission verließ und zusammen mit Margaret Stevenson zurück nach
Großbritannien fuhr*.

Es war, als ob der Flaschenkobold aus Louis' Erzählung
sich entschlossen hätte, weiterhin für das Wohlergehen
der Familie zu sorgen. Nach wie vor flossen Whiskey und
Burgunder in Strömen, wurden die niederen Verrichtun-
gen von Hausangestellten besorgt und die Gäste auf Vailima fürstlich bewirtet. Um sich von den Strapazen der
Trauerfeierlichkeiten zu erholen, gönnte Lloyd sich eine

---

* «Stevensons Tod war für mich ein schrecklicher Schlag»,
schrieb Clarke am 25. Januar 1895 an die Londoner Zentrale. «Er
mochte mich wie einen Bruder, und ich liebte ihn von Herzen. Ich
habe meinen besten und liebsten Freund auf Samoa verloren.
Jetzt ist es meine Pflicht, zu den einzigen Menschen zurückzukehren, die mir noch teurer sind als er. Wir werden wahrscheinlich zusammen mit Missis Stevenson nach England zurückkehren.» Tatsächlich kehrte das Ehepaar Clarke am 21. Februar 1895
zusammen mit Margaret Stevenson nach England zurück, wo
sie am 8. Mai eintrafen. Zweiundzwanzig Jahre später aber, am
14. April 1917, brach er erneut nach Samoa auf – diesmal allein.
Er blieb zwei Jahre und unternahm zahlreiche Schiffsreisen. Am
7. August 1920 traf er wieder in London ein, wo er am 25. Mai
1922 starb.

kleine Schiffsreise. Kaum war er wiedergekehrt, unternahmen Fanny, Belle und Lloyd im April 1895 einen Abstecher nach Kalifornien. Auf dem Rückweg legten sie einen dreimonatigen Zwischenhalt auf Hawaii ein und logierten im Hotel Sans Souci auf Waikiki Beach. Als sie nach Vailima zurückkehrten, war ein ganzes Jahr vergangen. Und als ein weiteres Jahr später die Nachricht von Margaret Stevensons Tod eintraf, brachen die Osbournes nach Schottland auf, um das Erbe der Stevensons anzutreten. Ihrem Haus auf Vailima kehrten sie für immer den Rücken. Fanny verkaufte das Anwesen leichthin für 1750 Pfund. Das war kaum ein Fünftel der Summe, die Louis für Landkauf und Hausbau aufgewendet hatte. Käufer war ein pensionierter Hamburger Kaufmann namens Gustav Kunst, der mit der Sibirischen Eisenbahn und im Pelzhandel zu einem großen Vermögen gelangt war.*

---

* Gustav Kunst (ca. *1836, †10. 9. 1905) floh in den letzten Jahren seines Lebens jeweils vor dem europäischen Winter nach Deutsch-Samoa und erwarb dort Ansehen als Philanthrop, indem er in Apia eine Markthalle und ein Hospital für die weiße Bevölkerung bauen ließ. Nach dessen Tod verkaufte sein Neffe das Anwesen der deutschen Regierung, die Vailima zum Gouverneurssitz machte. Als 1914 zu Beginn des 1. Weltkriegs neuseeländische Truppen die deutschen Kolonisten aus Samoa auswiesen, zog der neuseeländische Gouverneur ein. Nach der Unabhängigkeit Samoas 1962 wurde Vailima Residenz des samoanischen Staatsoberhaupts. In den Hurrikans von 1990 und 1991 erlitt das Gebäude großen Schaden. Es wurde von US-Investoren gekauft, die der Mormonenkirche nahe stehen, und als Robert-Louis-Stevenson-Museum hergerichtet.

In den folgenden Jahren machte Fanny eine verblüffende Wandlung durch. Sie, die stets unter allen möglichen eingebildeten und tatsächlichen Krankheiten und Beschwerden gelitten hatte, erfreute sich nun recht guter Gesundheit und Lebensfreude. Sie kaufte ein großes Auto und gondelte mit Lloyd durch Frankreich, Spanien und Portugal. Sie verbrachte einen angenehmen Winter auf Madeira, ließ sich ein festungsähnliches Haus hoch über San Francisco bauen und stattete es mit dem vornehmen Stevensonschen Mobiliar aus, das sie aus Samoa herbeischaffen ließ. Abends saß sie auf der Terrasse und beobachtete die Schiffe, die durchs Golden Gate hinaus auf den Pazifik fuhren; manchmal besuchte sie spiritistische Sitzungen, an denen sie Kontakt zu Louis' Geist suchte.

Dass die Osbournes sich einen derart luxuriösen Lebensstil leisten konnten, ist verwunderlich; zwar hatte Louis mit Schreiben eine Menge Geld verdient, und vor ihm hatten seine Ahnen väterlicherseits mit ihren Leuchttürmen ein beträchtliches Vermögen erwirtschaftet. Aber erstens hatte der Clan schon zu Louis' Lebzeiten auf kostspieligem Fuß gelebt, und zweitens verteilte sich das Erbe auf derart viele Köpfe, dass es nicht für jahrzehntelangen Müßiggang in Wohlstand gereicht hätte.*

* Gemäß Louis' letztem Willen, den er im September 1893 niederschrieb, erhielten ein Viertel des väterlichen Vermögens, das Mutter Margaret verwaltet hatte, sein Cousin Bob (3136 Pfund) und dessen Schwestern Dora Fowke und Katharine de Mattos (je 1568 Pfund). Ein Viertel der verbleibenden Summe (also 4704 Pfund) wurde zu Belle's Gunsten investiert, und der Rest

Als Fanny vierundsechzig Jahre alt und Louis seit zehn Jahren tot war, tauchte wieder ein Mann an ihrer Seite auf. Sie engagierte einen schüchternen, aber gebildeten und humorvollen jungen Journalisten als ihren «Privatsekretär», der sich um alle praktischen Belange des täglichen Lebens zu kümmern hatte; Edward «Ned» Salisbury Field führte Fannys Buchhaltung, verwaltete ihre Bankkonti und verhandelte mit der Steuerverwaltung, buchte ihre Schiffspassagen und Hotelzimmer und reservierte die Tische im Restaurant. Ned Fields war der Mann ihres Vertrauens. Zwar war er vierzig Jahre jünger als sie, aber er stammte wie sie aus Indianapolis; seine Mutter und Fanny waren zusammen zur Schule gegangen. Das Vertrauensverhältnis wurde rasch ein ausgesprochen inniges. Der junge Mann wich nicht mehr von ihrer Seite, weder bei Tag noch bei Nacht und auch nicht am Wochenende, was einer interessierten Öffentlichkeit Anlass zum Tuscheln gab; und als das ungleiche Paar dazu überging, lange Vergnügungsreisen nach New York, Mexiko und Europa zu unternehmen, schien den Leuten die Sachlage derart klar, dass alles Tuscheln ein Ende nahm.

Zehn Jahre lang folgte Ned Field Fanny treu auf all ihren Reisen, bis zum Abend des 17. Februar 1914, als die beiden im Wohnzimmer ihres Hauses hoch über San Fran-

(14 112 Pfund) ging an Fanny und sollte bei deren Tod auf Lloyd übergehen. (Angaben stammen aus einem Brief vom 3. November 1897 von Baxter an Balfour, NLS.) RLS to Charles Baxter, c. 17. June 1893, Letter 2589, n. 4 (Letters, Band 8, S. 110.)

cisco saßen. Fanny blätterte in Magazinen, dann spielte-
sie Karten mit Ned. Draußen in der kalifornischen Nacht
blühten weiß die Obstbäume. Um halb elf Uhr legte sie
sich schlafen und erlitt irgendwann in der Nacht einen
Hirnschlag – genauso wie Louis neunzehn Jahre, zwei
Monate und zwei Wochen vor ihr.

Nach einer schlichten Trauerfeier wurde ihr Körper
kremiert; in ihrem letzten Willen hatte Fanny festgehal-
ten, dass ihre Asche auf dem Gipfel von Mount Vaea, an
der Seite von Robert Louis Stevenson, beigesetzt werden
sollte. Belle erklärte sich bereit, die Reise nach Samoa mit
der Asche ihrer Mutter zu unternehmen. Zuvor aber tat
sie etwas Bemerkenswertes: Sie trat nicht nur das mate-
rielle Erbe der Mutter an – mit der Verpflichtung, ihrem
Bruder Lloyd eine monatliche Leibrente von dreihundert
Dollar auszurichten –, sondern übernahm auch den Mann
ihres Vertrauens, der seit über zehn Jahren das Familienvermögen betreute. Ein halbes Jahr nach Fannys Tod, am
29. August 1914, gaben sich Isobel Strong Osbourne und
Edward «Ned» Salisbury Field in Los Gatos, Santa Clara
County, Kalifornien, das Jawort. Sie war sechsundfünfzig Jahre alt, er fünfunddreißig – genauso alt wie Belles
Sohn Austin Strong, dessen Stiefvater er nun wurde. Es
war, als wäre der Flaschenkobold von Fanny auf die Tochter übergegangen.

Belles zweite Ehe war so glücklich, wie die erste mit
Joe Strong unglücklich gewesen war. Belle machte eine
Menge Geld, zum ersten Mal in ihrem Leben, indem sie
massenhaft Stevensons Briefe, Notizzettel und unver-
öffentlichte Manuskripte versteigerte. Ned war ein treuer

und liebevoller Ehemann, und sie umsorgte den schüchternen jungen Mann mit mütterlicher Weitsicht. Unter ihrer Anleitung verabschiedete er sich vom Journalismus und schrieb Romane und humoristische Theaterstücke*; vor allem aber engagierte er sich im spekulativen Immobilienhandel und soll dabei eine ausgesprochen glückliche Hand gehabt haben.

Leider segnete Ned Field unter sonderbaren Umständen und viel zu früh das Zeitliche. Es geschah am 18. September 1936, an Belles achtundsiebzigstem Geburtstag, in ihrem Landhaus am Ufer des Zaca Lake, eines stillen, weltabgewandten Sees in der Wildnis nördlich von Santa Barbara. Das Ehepaar hatte mittags fröhlich gefeiert – offenbar allein. Dann hatte sich Ned zur Siesta hingelegt, war nicht mehr aufgewacht und überraschend gestorben, mit erst sechsundfünfzig Jahren. In dieser Lage behielt Belle einen erstaunlich kühlen Kopf. Die alte Dame schleppte ihren toten Ehemann zum Wagen, hievte ihn auf die Rückbank und fuhr ihn über fünfunddreißig Meilen heim nach Santa Barbara.

Es sollte nicht der letzte Todesfall bleiben, den Belle zu betrauern hatte; wie die meisten lang lebenden Menschen bezahlte sie ihr Glück damit, dass sie ihre Liebsten zu Grabe tragen musste. Am 22. Mai 1947 saß sie am Sterbe-

---

* Ned Fields größte Erfolge waren die Komödien «Twin Beds» (1914) und «Wedding Bells» (1919). Im einen Stück ging es laut ‹New York Times› hauptsächlich «um Pyjamas, Frisiermäntel, Männerhosen sowie Weiber und Streitereien»; das andere war gemäss ‹The Times› «eine spritzige und unterhaltsame Farce, durch die sich ein feiner Ton von Nonsens zieht.»

bett ihres jüngeren Bruders Lloyd im Glendale Sanatrium in Los Angeles; sie war achtundachtzig, er achtzig Jahre alt. Lloyd hatte sein ganzes Leben in wohlhabendem Müßiggang in den schicksten Clubs und Bars von Paris, London und New York verbracht. Bis zuletzt war er der egozentrische Dandy geblieben, der er auf Vailima gewesen war. Zwar heiratete er 1896 ein kluges und hübsches Mädchen namens Katherine Durham, die ihm 1897 den ersten Sohn Alan und 1900 den zweitgeborenen Louis schenkte. Als ihn aber seine Mutter Fanny, die mit der Schwiegertochter in eifersüchtigem Konkurrenzkampf stand, vor die Wahl stellte, entweder Katherine zu verlassen oder aufs Erbe zu verzichten, entschied er sich fürs Erbe. Er machte zahlreiche Kreuzfahrten und unterhielt Bankkonten in den verschiedensten Ländern, kaufte gern schöne Autos und entwickelte in den Dreißiger Jahren eine Vorliebe für nazideutsche Ordnungsliebe und das Gedankengut Benito Mussolinis. Er heiratete eine vierzig Jahre jüngere Französin namens Yvonne Payerne, mit der er einen weiteren Sohn hatte, und verbrachte seine alten Tage an der Côte d'Azur. Als er zum Sterben nach Amerika zurückkehrte, war es für eine Versöhnung mit der Familie zu spät. Seine erste Frau Katherine und die Söhne Louis und Alan weigerten sich, an seinem Sterbebett von ihm Abschied zu nehmen.

So wurde es einsam um Isobel Osbourne Strong Field. Als am 17. September 1952, einen Tag vor ihrem vierundneunzigsten Geburtstag, auch noch ihr einziges Kind Austin Strong – der entgegen allen Prognosen doch noch eine beachtliche Karriere als Theaterautor am Broadway geschafft hatte* – einundsiebzigjährig in seinem Sommerhaus in Nantucket starb, war Belle ganz allein. Eine letzte Kapriole aber hielt das Schicksal noch für sie bereit. Auf mehreren Grundstücken, die Belle von Ned Field geerbt hatte, sollen unverhofft – so zumindest will es die Familienlegende, die Generationen von Biografen weitergereicht haben – beachtliche Erdölvorkommen gefunden worden sein. Die Ölfelder sollen in Long Beach und Signal Hill im Süden von Los Angeles gelegen haben, und wundersamerweise soll derart viel Öl zutage getreten sein, dass Belle, die letzte Erbin von Vailima, in den letzten Jahren ihres Lebens zu märchenhaftem Reichtum kam. Es war, als ob der Flaschenkobold den Osbournes einen letzten Dienst erwiesen hätte.

Tatsache ist, dass in Long Beach schon 1921, also fünfzehn Jahre vor Ned Fields Tod, eines der größten Ölfelder Nordamerikas entdeckt wurde. In aller Eile machten sich Hunderte von kleinen Grundbesitzern daran, Tausende von kleinen Bohrtürmen aufzustellen; denn keiner wollte zulassen, dass das unter seinem Grund liegende Öl vom Nachbarn gefördert wurde. Nun erwies sich das Ölfeld als ausgesprochen ergiebig – das Öl sprudelt bis auf den heutigen Tag –, und manche Grundbesitzer wurden tatsächlich reich. Dafür aber, dass unter den Glücklichen

---

* Austin Strongs bei weitem erfolgreichstes Theaterstück war «Seventh Heaven», das nach der Uraufführung am 30. Oktober 1922 704 Mal am Broadway aufgeführt wurde. Die Liebeskomödie wurde 1927 mit Janet Gaynor und Charles Farrell in den Hauptrollen verfilmt. 1937 entstand ein Tonfilm mit Simone Simon und James Stewart in den Hauptrollen.

auch ein Mann namens Ned Field gewesen sei, gibt es keinen Hinweis. Das Departement of Oil Properties der City of Long Beach führt keinen Mann dieses Namens in seinen Archiven und die Los Angeles Basin Geological Society ebenso wenig.

Isobel Osbourne Strong Field starb am 26. Juni 1953 als schwerreiche Frau in Santa Barbara, Kalifornien. Sie wurde im Forest Lawn Memorial Park in Glendale beigesetzt. Mit ihr war die letzte Bewohnerin Vailimas und die letzte Vertraute Robert Louis Stevensons aus der Welt gegangen.

16 Der Atem, der vom Meer her kam

Was bleibt nun, da alle tot sind? Es bleiben die zwei Cocos-Inseln. Gleichmütig stehen sie in der Brandung des Pazifischen Ozeans und wahren ihr Geheimnis, und darüber hinaus auch das Geheimnis, ob ihr Geheimnis jemals gelüftet wurde. Und wenn sie auch unberührt bleiben von Dramen menschlicher Gier und Leidenschaften, so sind sie doch keineswegs unerschütterlich, im Gegenteil: denn Vulkaninseln, das lehrt die Geologie, sind tektonisch äußerst instabile Gebilde. Da gibt es Verschiebungen und Eruptionen und äußerst heftige Beben, da steigt Neuland aus den Fluten und versinken ganze Landzungen im Meer; kommt hinzu, dass wegen der Eisschmelze am Nord- und Südpol der Pegel des Pazifiks sachte, aber stetig ansteigt. Vergleicht man die ältesten existierenden Landkarten der Cocos-Inseln mit neuesten Satellitenaufnahmen, so ist augenfällig, dass sie in ihren Umrissen heute kaum mehr Ähnlichkeit haben mit jenen vor zweihundert Jahren. Weder Kapitän Thompson noch John Keating oder Robert Louis Stevenson würden sich heute auf ihnen zurechtfinden – auch dann nicht, wenn sie die eine authentische Schatzkarte in Händen hielten, die Thompson eigenhändig gezeichnet haben mag am Tag, da er den Schatz vergrub. Denn es scheint leider sehr wahrscheinlich, dass alles Gold und Silber, falls es denn keiner gefunden hat, in den letzten zwei Jahrhunderten restlos aufgerieben wurde von den gewaltigen Kräften, die im Erdinnern einer Vulkaninsel herrschen. Vielleicht ist der Schatz auch im Meer versunken, oder er ist verdampft in der Hitze flüssiger Lava ...

Das alles hat Generationen von Schatzgräbern nicht daran gehindert, einander sozusagen den Spaten in die Hand zu reichen – wenn auch nur auf der einen, der costaricanischen Cocos-Insel. Auf Tafahi hingegen ist nach den Tagen Robert Louis Stevensons und des Fischgottes Fatuulu wieder paradiesische Stille eingekehrt. Die Einheimischen pflanzen seit einigen Jahrzehnten Vanille bester Qualität an, wofür sie auf dem Weltmarkt Höchstpreise erzielen. Dass der Fischgott Fatuulu jemals wiedergekehrt wäre, hat niemand bemerkt.

Interessant ist aber, dass 1952 – ein Jahr vor Belle Osbournes Tod – ein junger Däne namens Preben Kauffmann auf Tonga landete. Er war ein halbes Jahr zuvor in einem gebrauchten kleinen Segelboot von San Francisco aus in See gestochen, war mutig unter der Golden Gate Bridge hindurch auf den Pazifischen Ozean und über Tahiti ins pazifische Königreich gesegelt. Nach kurzer Zeit ließ er sich auf Tafahi nieder, und zwar bemerkenswerterweise nicht an der Nordküste Tafahis in der Nähe des Dorfes, sondern im Südosten. An jenem Strand also, an dem sechzig Jahre zuvor der Fischgott sein Unwesen getrieben hatte. Preben Kauffmann fand hinter dem Strand eine Höhle und richtete sie gemütlich her, um die nächsten vierzig Jahre seines Lebens als Einsiedler zu verbringen.

Preben Vigo Heinrich Kauffmann wurde am 11. Juni 1923 in Fredericia unweit der Grenze zu Schleswig-Holstein geboren – auf dem Rücksitz eines Taxis übrigens, unterwegs zum Krankenhaus. Er war ein kränkliches Kind, aber ein guter Schüler; während der Grundschul- und Gymnasiumszeit im Hafenstädtchen Skaelskør brachte er fast immer Bestnoten nach Hause. Er war noch keine siebzehn Jahre alt, als am 9. April 1940 die deutsche Wehrmacht in Dänemark einmarschierte. Im folgenden Jahr nahm Preben Kauffmann das Studium der Ingenieurwissenschaften am Polytechnikum in Kopenhagen auf. Er spezialisierte sich auf Unterwasserbauten, schloss 1946 das Studium mit Auszeichnung ab und ging 1948 nach San Francisco, wo er eine Anstellung als Brücken- und Tunnelinspektor fand. Interessant ist nun, dass er vom ersten Tag an Ersparnisse zurücklegte für den Kauf eines Segelbootes. Nach zwei Jahren war es so weit: Preben Kauffmann, der weder vom Segeln noch von Hochseenavigation die geringste Ahnung hatte, kaufte einen billigen, gebrauchten Einmaster von acht Meter Länge sowie ein Segel- und ein Navigationslehrbuch. Solchermaßen ausgestattet, kreuzte er an jedem arbeitsfreien Tag in der Bucht von San Francisco umher, um sich autodidaktisch zum Seemann auszubilden – und das übrigens sozusagen unter den Augen der vierundneunzigjährigen Belle Osbourne, die von ihrer Villa hoch über der Stadt einen prächtigen Ausblick auf die Bucht hatte. Eines freundlichen Tages im Sommer 1951 schließlich belud er sein Boot mit reichlich Proviant und fuhr unter der Golden Gate Bridge hinaus auf den Pazifischen Ozean.

Auf Tonga kam er am 18. März 1952 an, blond und braungebrannt und bärtig von der langen Fahrt mit einem Umweg über Tahiti. Er war der Landessprache nicht mächtig und praktisch mittellos – und trotzdem machte er im Inselreich in kürzester Zeit Karriere. Er wurde kein Beachcomber, wie so viele jener Tausenden von traumatisierten Soldaten, die nach dem Zweiten Weltkrieg in die Südsee flohen, sondern erhielt schon am zweiten Tag seines Aufenthalts auf der Hauptinsel eine Audienz im Königspalast. Noch am selben Tag vermachte er sein Boot Königin Salote als Geschenk und beschloss, sich fürs ganze Leben auf Tonga niederzulassen. Das ist nun wieder sehr erstaunlich: Denn alle anderen Fremdlinge haben zu allen Zeiten übereinstimmend berichtet, dass es sehr mühselig sei, eine Audienz am tonganischen Hof zu erhalten; wochenlang musste man mit Hofschranzen verhandeln, schriftliche Bittgesuche einreichen und Emissäre Richtung Palast vorschicken, bis man schließlich Einlass fand.

Die tonganische Regierung sei sehr erfreut gewesen, einen Ingenieur im Land zu haben, erklärte Kauffmann seine rasche Aufnahme später. Schon im ersten Jahr sei ihm das Amt des Königlichen Baumeisters angetragen worden. Er aber habe seine Freiheit nicht aufgeben wollen und es vorgezogen, dem Königshaus als freier Berater ohne feste Anstellung und fixes Salär verbunden zu bleiben. Kurz darauf habe ihn Königin Salote an Sohnes statt adoptiert.

Nun will man gern glauben, dass das Königshaus Bedarf hatte an kompetenten Beratern; denn namentlich der Kronprinz und spätere König Taufa'ahau Tupou IV. war stets bestrebt, sein Reich mittels verschiedenster Maßnahmen in eine lichtere Zukunft zu führen. Mal reformierte er das tonganische Alphabet, indem er die Buchstaben B und D abschaffte, denn nach seinem Dafürhalten reichten P und T völlig aus. Ein anderes Mal wollte er am Flughafen mithilfe der Sowjetunion eine drei Kilometer lange Landebahn bauen, damit auch die allergrößten Jets vor seiner Haustür landen konnten. Dann unternahm er es, Olivenplantagen nach italienischem Vorbild zu pflanzen, oder in Konkurrenz zur japanischen Walfangindustrie zu treten. Und als das alles nicht fruchtete, ließ er auf seinen Inseln nach Erdöl bohren. Welcher Art nun die Beratungen waren, die der Däne und der donquichotteske Kronprinz miteinander führten, weiß man nicht; jedenfalls deutet nichts darauf hin, dass Preben Kauffmann auf Tonga große Leistungen als Ingenieur vollbracht hätte. Einziges Zeugnis seiner Baukunst ist eine hölzerne Kirche in dänischer Bauweise auf der Hauptinsel Tongatapu. Hingegen wurde er berühmt als der weiße Einsiedler, der einsam, bedürfnislos und mit dem Segen des Königshauses seine Tage am Strand von Tafahi verbrachte. Schon bald nannten ihn die Einheimischen «Tavi Maupiti». Das heißt «Atem, der vom Meer her kam», aber auch «der Unübertroffene».

Was er auf Tafahi getan hat, weiß man nicht. In unmittelbarer Nachbarschaft zu ‹Fatuulus Fels› baute er sich aus Brettern eine Plattform auf einem Brotfruchtbaum, entledigte sich seiner Kleidung, ernährte sich von Mangos, Kokosnüssen und Wurzeln und schnitt jahrzehntelang weder Kopfhaar noch Bart. Glaubt man seinen Angaben, hatte er keinerlei Werkzeug bei sich außer einem Buschmesser, einem Vergrößerungsglas, einem Taschenmesser und einem Teelöffel. Auf der Plattform im Brotfruchtbaum verbrachte er die Nächte und die heißesten Stunden des Tages. Wenn es regnete, zog er sich in eine nahe Felsenhöhle zurück, wo auch seine Bibliothek untergebracht war.

Zehn Jahre hielt er es aus in dieser Einsiedelei; dann kehrte er zurück in die Zivilisation, auf die Hauptinsel Tongatapu, um Königin Salote als persönlicher Berater zu dienen. Aber auch dann noch fuhr er Jahr um Jahr nach Tafahi, mit dem ausdrücklichen Segen der Königin übrigens, um die heißesten sechs Monate des Jahres am Strand von Tafuulus Fels zu verbringen.

Nun muss man wissen, dass Tafahi im Sommerhalbjahr als Ferienziel ganz ungeeignet ist. Es ist dort schrecklich heiß und feucht, heißer und feuchter als irgendwo sonst im Königreich Tonga, es regnet mehrmals täglich, und stets droht ein Hurrikan. Gleich hinter dem Strand beginnt steil ansteigend und undurchdringlich der Dschungel, und man ist allein und ohne Beschäftigung. Wohl ist es wahr, dass einem die Früchte des Waldes in den Mund fallen – es gibt Kokosnüsse, Mangos und Papayas in Hülle und Fülle –, aber weshalb ein junger Ingenieur aus Dänemark von allen Orten dieser Welt ausgerechnet an diesem Strand sein Leben verbrachte, bleibt rätselhaft. Preben Kauffmanns Mutter, die ihn in späteren Jahren einmal besuchte, soll gesagt haben, ihrer Meinung nach sei der Ort noch nicht mal zum Sterben gut genug.

Als Tavi noch jung war, kam ihm in der selbst gewählten Abgeschiedenheit zuweilen der Gedanke zu heiraten. Vertrauensvoll unterbreitete er seinen Plan Königin Salote; die Monarchin gab ihm zu bedenken, dass man auf Tonga nicht nur die Braut heirate, sondern mit ihr den gesamten Clan, und dass dies nur zu Unannehmlichkeiten führen könne. Also verzichtete er aufs Heiraten. Einmal nur geriet er in Versuchung; das war während der Trockenzeit des Jahres 1969, als das «Peace Corps» eine vierundzwanzigjährige Amerikanerin namens Tina Martin als Englischlehrerin nach Tonga schickte. Preben Kauffmann verliebte sich in die hübsche Tina, die ein paar Jahre zuvor an ihrer High School in Columbia, South Carolina, die Krone der «Miss Columbia» gewonnen hatte*; im Scherz nannte er sie manchmal «meine Braut». Sie aber ließ ihn wissen, dass er in Wesen und Aussehen zu viel von Jesus Christus habe und sie zu wenig von Maria Magdalena. Darauf gab er ihr viel sagend zur Antwort, dass er nicht der Asket sei, für den sie ihn halte. Im Oktober 1971 war ihr Lehrauftrag zu Ende, und sie kehrte zurück nach Kalifornien. Tina Martin sollte die einzige Frau in Preben Kauffmanns Leben bleiben. Die beiden

---

* Die Wahl der Schönheitskönigin hätte am 22. November 1963 stattfinden müssen und wurde um zwei Wochen verschoben, weil an jenem Tag in Dallas Präsident John F. Kennedy ermordet wurde. Tina Martin schrieb später eine Erzählung über ein Südstaatenmädchen, das am Tag von Kennedys Ermordung Gott im Gebet zu bestechen versucht, damit er sie die Wahl gewinnen lässt. Die Erzählung ist nachzulesen unter http://www.peacecorpswriters.org/pages/2003/0305/305wrwr-tm.html.

schrieben einander noch viele Jahre Briefe, auch als Tina längst verheiratet und Mutter eines Sohnes war. In den Achtziger Jahren brach der Kontakt schliesslich ab.

Wenn Zeitungsleute Preben Kauffmann nach den Motiven für sein Einsiedlertum fragten, gab er ihnen die unterschiedlichsten Gründe an. Dem tonganischen Nachrichtenmagazin «Matangi Tonga» erklärte er 1987, dass er als junger Mann ans andere Ende der Welt geflohen sei, um den atomaren Verheerungen des drohenden Dritten Weltkrieges zu entgehen. «Ich merkte, dass es nicht ausreichen würde, nach Australien zu gehen – dass ich mir einen noch viel entlegeneren Ort suchen müsste; einen Ort, an dem es nichts gab, für das irgendjemand eine Atombombe verschwenden würde.» Eine abstrusere Erklärung kann man sich kaum vorstellen; denn Tatsache ist, dass die Atommächte zwei Jahre nach Preben Kauffmanns Eintreffen Atomtests in der Südsee aufnahmen. Am 1. März 1954 zündeten die USA auf den Marshall-Inseln erstmals zu Versuchszwecken eine Kernfusionsbombe, die tausendmal stärker war als die Bomben von Hiroshima und Nagasaki. In der Folge sollten während vier Jahrzehnten auch Großbritannien und Frankreich den Pazifik immer wieder für Atomtests benutzen.

Nicht viel glaubwürdiger war die Begründung, die er 1991 einem Reporter der dänischen Zeitung «Yillands Posten» gab; diesem gab er zu verstehen, dass das tonganische Klima heilsam sei für seinen Gelenkrheumatismus und seine Tuberkulose; der Reporter konnte aber nicht übersehen, dass Kauffmann wegen seiner Gelenkschmerzen und Kurzatmigkeit kaum mehr gehen konnte.

So verging die Zeit. Die eine Hälfte des Jahres verbrachte Tavi jeweils auf Tafahi bei ‹Fatuulus Fels› – der längst ‹Tavis Fels› hieß –, die übrige Zeit im Süden des Königreichs, am Hof seiner Königin und schwesterlichen Freundin Salote. Dass ihm das Klima sonderlich zuträglich gewesen wäre, kann man nicht behaupten. Er litt an Rheuma und Herzbeschwerden, und weil er Vegetarier war und sich ausschließlich von Früchten und Grünzeug ernährte, machte sich mit den Jahren Eiweißmangel bemerkbar. Als er achtundsechzig Jahre alt war, konnte Tavi nicht mehr. Er schrieb dem dänischen Botschafter in Neuseeland einen Brief und bat ihn, ihm ein Flugzeugticket für die Heimreise nach Dänemark zu besorgen.

So kam es, dass er Ende Januar 1992, nach beinahe vierzig Jahren, still und leise aus Tonga verschwand, ohne von der Königsfamilie oder seinen zahlreichen Freunden Abschied zu nehmen. Sechsunddreißig Flugstunden später, am 1. Februar 1992, stieg er in Kopenhagen bei bitterer Kälte aus dem Flugzeug, bekleidet mit einem alten Hemd und einer karierten Jacke sowie einem geblümten polynesischen Männerrock, und seine nackten Füße steckten in ausgetretenen, uralten Schuhen. Wertsachen hatte er keine zu deklarieren.

Er fand Unterschlupf bei seiner Schwester Elsbeth in Skaelskør, die zeitlebens ledig geblieben war und noch immer in der Wohnung der inzwischen verstorbenen Eltern wohnte. Der dänische Sozialstaat nahm den verlorenen Sohn gütig auf; Preben Kauffmann erhielt eine monatliche Altersrente – wahrscheinlich mehr Geld, als er jemals in seinem Leben besessen hatte – sowie Medikamente für sein Rheuma und sein schwaches Herz. Trotzdem wurde er seines Lebens im kühlen Norden nicht mehr froh. Ganze Tage verbrachte er im Bett liegend, und im ersten Jahr weinte er oft aus Sehnsucht nach der Hitze und der Weite der Südsee. Er fror und war ständig erkältet, und das Rheuma wurde immer schlimmer. Außer seiner Schwester kannte er keinen Menschen mehr. Drei Jahre nach seiner Heimkehr, am 11. April 1995, schluckte er eine Überdosis jener Pillen, die sein schwaches Herz stärken sollten. Der Amtsarzt stellte Herzversagen fest.

Nachwort

So, das ist alles. Ein Jahr ist vergangen seit jenem Abend vor dem «Outrigger Hotel» hoch über Apia. Ich habe die Insel zu Fuß durchquert und bin mir jetzt sicher, dass Louis für den Ritt an die Südküste höchstens drei Stunden benötigte. Ich habe die Urenkel von Stevensons Freunden besucht und lange mit ihnen gesprochen, aber leider von keinem Auskunft über eine kleine Vulkaninsel knapp hinter dem Horizont erhalten. Ich habe ganze Nachmittage auf Vailima verbracht und allerlei Wissenswertes herausgefunden; zum Beispiel, dass es den von zahllosen Biographen erwähnten Weinkeller, aus dem Louis am letzten Tag seines Lebens eine Flasche Burgunder geholt haben soll, einfach nicht gibt – das Haus steht auf Stelzen und war nie unterkellert, und auch oberirdisch gibt es keinen kellerähnlichen Raum. Das ist zwar interessant, steht aber kaum in Zusammenhang mit Piratenschätzen und Schatzsuchern. Spanische Golddublonen habe ich auf Vailima keine gefunden. Immerhin steht im Salon großmächtig ein Tresor, und zwar exakt an der Stelle, an der schon zu Stevensons Zeit einer stand. Natürlich ist er erstens leer und hat zweitens – den Schwüren des Museumsführers zum Trotz – nicht die geringste Ähnlichkeit mit dem Tresor, der auf Stevensons Familienfotografien zu sehen ist.

Dann habe ich das Flussbecken gefunden, in dem

Louis jeweils sein Bad nahm, und habe meinerseits darin ein Bad genommen. Ich bin den steilen Pfad auf Mount Vaea hochgeklettert und habe eine Stunde an Stevensons Grab verbracht, leider ohne jede metaphysische Empfindung. Während Nadja und die Kinder tage- und wochenlang die Nemo-Fische von Vavau Beach erforschten, habe ich sämtliche Bibliotheken Samoas durchforstet, fünf Missionare und drei Universitätsprofessoren belästigt und zwei Ministern aufgelauert.

Und dann ging ich Gerüchten nach, die niemand bestätigen wollte. Eines besagt, der König von Tonga habe aus einem Schiffswrack vor der Inselgruppe Ha'apai einen Goldschatz aus dem 19. Jahrhundert geborgen und für 300 Millionen Dollar dem japanischen Milliardär Sasakawa verkauft, und zwar zu Beginn der neunziger Jahre – zu genau jener Zeit also, da Preben Kauffmann die Südsee verließ, um mittellos und himmeltraurig (und um den Finderlohn geprellt?) in seiner kühlen Heimat zu sterben. Leider war der Milliardär in der Zwischenzeit verstorben, und das tonganische Königshaus ließ bedauernd ausrichten, dass es weder von einem Goldschatz noch von 300 Millionen Dollar irgendwelche Kenntnis habe.

Nach fünf Wochen war es genug. Die Kinder mussten zurück in ihre Schulen. Wir nahmen Abschied und fuhren heim.

Was mich immer noch ärgert, ist der Umstand, dass es mir damals nicht gelang, den Fuß auf mein eigentliches Ziel, jenen Strand im Süden von Tafahi, zu setzen. Ich hätte Fatuulus Fels berühren wollen, hätte nach der Höhle gesucht, in der Preben Kauffmann sein Leben verbrachte, und hätte mir vorzustellen versucht, wie Kapitän Thompsons Männer die Schatzkisten an Land ruderten. Vielleicht hätte ich mich dann nach getaner Arbeit – wieso nicht – noch ein wenig weiter landeinwärts umgesehen. Aber leider gingen kurz vor meiner Ankunft in der Südsee die Royal Tongan Airlines Konkurs – die einzige Fluggesellschaft, die Tafahi gelegentlich mit einer kleinen, zweimotorigen Propellermaschine anflog. Ein Fährschiff gab es wohl, aber das fuhr nur alle sechs Wochen, und nicht von Samoa aus. Hätte ich meine Familie im Stich gelassen und wäre sofort mit Air New Zealand weiter nach Tongatapu geflogen, so hätte ich die Fähre um knapp sechsunddreißig Stunden verpasst.

Seither ist ein Jahr vergangen. Die Kinder sind gewachsen. Der Älteste hat jetzt eine Freundin, der Jüngste braucht keine Windeln mehr. Eigentlich wollten wir diesen Sommer zu Hause bleiben.

Aber jetzt sind wir wieder hier. Die Kinder sind glücklich, wieder bei ihren Nemo-Fischen zu sein. Nadja ist glücklich, dass die Kinder glücklich sind. Und ich wäre glücklich, wenn Royal Tongan Airlines wieder auf die Beine käme, oder wenn am Horizont eine Fähre auftauchte.

Vavau Beach, Samoa, 18. Juli 2005

«Ich selbst mag Biografisches viel lieber als Fiktion; Fiktion ist zu frei. Bei Biografischem hat man eine kleine Handvoll Fakten, kleine Teile eines Puzzles, und man sitzt da und denkt nach und versucht sie auf diese und jene Weise zusammenzufügen; dann steht man plötzlich auf und schmeißt alles hin, sagt verdammt nochmal und geht spazieren, um sich zu beruhigen; und wenn man damit fertig ist, hat man das befriedigende Gefühl, etwas wirklich zum Abschluss gebracht zu haben. Natürlich ist es nie so abgeschlossen wie der mieseste aller Romane; denn immer und immer wieder taucht der unlogische Widersinn des Lebens darin auf, muss darin auftauchen ... Aber gerade dort fängt der Spaß doch erst an.»

Robert Louis Stevenson
an Sir Edmund Gosse,
18. Juni 1893

Dank

Dieses Buch wäre nie entstanden ohne meinen Freund Walter Hurni in Blenheim, Neuseeland. Er ist es, der vor vielen Jahren die aufregende Entdeckung machte, dass es unweit von Robert Louis Stevensons Samoa eine zweite Kokosinsel gibt. Er war so großzügig, mir die Ergebnisse seiner jahrelangen Nachforschungen in der Südsee in langen Gesprächen zu erklären, und war immer für mich da, wenn ich nicht mehr weiterwusste.

Zu Dank verpflichtet bin ich auch Dr. Richard Gissler aus Jülich, der mir die Briefe seines Onkels August zur Verfügung stellte; ebenso Patrick Moors aus Apia, Enkel von Stevensons Freund Harry Moors; dann Trevor Stevenson, Ur-Ur-Neffe des Dichters und Anwalt in Apia; meinem Freund Tom Rudnick in Vavau, Samoa, für die genossene Gastfreundschaft und die Beihilfe auf dem diplomatischen Parkett Samoas; Tina Martin aus San Francisco für Auskünfte über ihren Jugendfreund Preben Kauffmann; ebenso den vielen Experten in Universitäten und Bibliotheken, die mich an ihrem Fachwissen teilhaben ließen: Unasa Leulu Felise Va'a, Professor für Geschichte, und Naumati Vasa, Lehrbeauftragter für traditionelle Schnitzkunst und Mythologie an der National University of Samoa, Apia; Dean Solofa, Climate Scientific Officer im samoanischen Landwirtschaftsministerium; Reverend Oka Fau'olo, Chairman des Samoa Council of Churches;

Roger G. Swearingen, führender Stevenson-Spezialist in Santa Rosa, Kalifornien; Professor Richard Dury, Universität Bergamo, Italien, dessen Website (http://dinamico.unibg.it/rls/rls.htm) allen Stevensonianern weltweit die wichtigste Heimat ist; Yaye Tang und Lisa Cole, School of Oriental and African Studies, University of London; Liza Verity, National Maritime Museum, Greenwich, London; Kathy Wilkinson, Council for World Mission, London; Elaine Greig, Kuratorin des «The Writers' Museum», Edinburgh; Chris Quist, Kurator des Stevenson-Museums in Monterey, Kalifornien; Don Clarke, Chairman of the Los Angeles Basin Geological Society und Geologe im Department of Oil Properties in der Stadtverwaltung von Long Beach; William P. Stoneman und Florence Fearrington, Harvard Library Bulletin; Leif Møller, Journalist und Preben Kauffmann-Biograph in Ry, Dänemark; Slobodan Bob Milinovic, State Library of New South Wales, Sydney, Australien; Nina Rothberg für Recherchen an der Public Library of San Francisco, Kalifornien; Namrata Krishna für Recherchen an der UC Berkeley Library, Kalifornien; und schließlich dem Kanton Solothurn, der für meine Flugzeugtickets nach London, Edinburgh, Los Angeles und Samoa aufkam.

Anmerkungen und Zitatnachweise

5 *Was hängt der hier:* Robert Louis Stevenson, *The Ebb-Tide.* In: *The Works of Robert Louis Stevenson.* Vailima Edition. London 1922, Band 18, S. 124. Künftig zitiert: *Works.*

12 *Das Ende unserer: The Letters of Robert Louis Stevenson.* New Haven and London 1995, Band 6, S. 334f. Künftig zitiert: *Letters.*

13 *Ich habe nicht: Letters*, Band 6, S. 337.

22 *Es kam mir:* William E. Clarke, «*Robert Louis Stevenson in Samoa*». In: Yale Review, Januar 1921, S. 275f.

23 *Er war kein:* Harry Jay Moors, *With Stevenson in Samoa.* London 1911, S. 4f.

25 *Vorgestern wurde ich: Letters*, Band 6, S. 346.
Samoa, Apia zumindest: ibd., S. 347.

27 Clarkes Jahresbericht: Vgl. William E. Clarke, *Handschriftliche Jahresberichte.* Im Archiv der London Missionary Society.
Louis' handschriftliche Notizen: Archiviert in der Beinecke Rare Book and Manuscript Library, Yale University. Teilweise publiziert in: Graham Balfour, *The life of Robert Louis Stevenson.* New York 1901, Band 2, S. 102f.

30 *Meine Frau ist: Letters*, Band 7, S. 59.

31 *Ich habe 314,5 Acres:* ibd., Band 6, S. 360.

33 *Der Urwald ist großartig:* ibd., S. 393.

34 *Ich hasse es:* Fanny and Robert Louis Stevenson, *Our Samoan Adventure.* New York 1955, S. 38.

36 *Ich bringe hier: Baxter Letters*, S. 253: Brief Fanny Stevensons an Mrs. Sitwell, S. 503–505.

39 *Ich denke, dass:* Harry Jay Moors, *With Stevenson in Samoa.* London 1911, S. 210.

39 *Obwohl der Berg:* Lloyd Osbourne, *An intimate Portrait of Robert Louis Stevenson.* New York 1924, S. 134f.

40 Mount Vaea: Louis erwähnt den Berg beiläufig in einem Brief an Sidney Colvin vom Dezember 1891, in dem er seine Suche nach einer Trinkwasserquelle schildert. Vgl. *Letters,* Band 7, S. 22f.

42 *Oh ja, die Inseln:* Sydney Morning Herald, 14. February 1890.

45 *Gestohlene Äpfel schmecken:* Robert Louis Stevenson, *My first book: Treasure Island.* In: *Works,* Band 5.

50 *Ein hysterischer Bursche:* Zwei Briefe Fanny Osbournes an ihren kalifornischen Verehrer Timothy Rearden vom 25. Juli und 13. Dezember 1876. Im Besitz des Silverado Museums, St. Helena, Califonia. Zitiert nach: Margaret Mackay, *The Violent Friend. The Story of Mrs. Robert Louis Stevenson.* New York 1968, S. 59, 64.

51 *Er ist so:* Brief Isobel Osbournes. Zitiert nach: Margaret Mackay, ibd., S. 57.
Sie war eine: Sidney Colvin, *Memories and Notes.* London 1921, S. 130.

53 Reise nach Südfrankreich: Robert Louis Stevenson, *Travels With a Donkey in the Cévennes.* In: *Works,* Band 1, S. 209. *Ich lag faul da:* ibd., S. 297f.

54 *An F. schreibe ich nie:* Brief an Sidney Colvin. Unveröffentlicht. Beinecke Collection, Yale University.

55 *Als ich übers Deck:* Robert Louis Stevenson, *The Amateur Emigrant.* In: *Works,* Band 2, S. 234ff.

56 *Lieber Colvin:* Brief an Sidney Colvin, 20. August 1879. In: *Letters,* Band 3, S. 7ff.

57 *Die Schienen erstrecken sich:* Brief an Henley, August 1879. In: *Letters,* Band 3, S. 10.

58 Geschichte der Vereinigten Staaten: George Bancroft, *History of the United States,* Boston 1841. Louis kaufte die 6 Bände am 19. August 1879, während er auf den Zug nach Kalifornien wartete.

59 *Oh, Sam:* Lloyd Osbourne, *An intimate Portrait of Robert Louis Stevenson.* New York 1921, S. 21.

60 *Ich habe keinerlei Neuigkeiten:* Brief an Charles Baxter, 9. September 1879. In: *Letters,* Band 3, S. 12.
Der eine ist: Brief an Sidney Colvin, September 1879. In: *Letters,* ibd.

61 *Ich bin in:* Robert Louis Stevenson, *The Old and the New Pacific Capital.* In: *Works,* Band 2, S. 410.

63 *Die Straßen führen:* ibd., S. 433.

66 *Cocos Island liegt:* The San Francisco Call, 31. Oktober 1879, S. 1. Ein beinahe gleichlautender Artikel findet sich in der Santa Barbara Daily Press, 28. Oktober 1879, S. 2.

71 *Der viertägige Aufenthalt:* Captain James Colnett, *A Voyage Into the South Atlantic and Round Cape Hoorn Into the Pacific Ocean.* London 1798, Seite 78. Faksimile Amsterdam / New York 1968.

88 *Es ist mir ganz recht: Letters,* Band 3, S. 57.

89 *Ich weiß, dass:* ibd., S. 91.

94 *Es geht mir:* ibd., S. 87.
Was das Aussehen: ibd., S. 88.

95 *Hier bin ich:* ibd., S. 186.

96 *neun Meilen lang:* Robert Louis Stevenson, *Treasure Island.* In: *Works,* Band 5, S. 62.
Während ich meine Karte: ibd., S. 22.

98 *Fünfzehn Tage hatte ich:* ibd., S. 24.

101 *und siehe da:* ibd., S. 27.

102 Woggle: Quellen zur Namensänderung von Walter, Woggle, Woggs, Woggy, Watty, Wiggs bzw. Bogue: Willem George Lockett, *Robert Louis Stevenson at Davos.* London, undatiert, S. 58; Joseph C. Furnas, *A Voyage to Windward. The Life of Robert Louis Stevenson.* New York 1951, S. 189; Hancock and Weston, *The Lost Treasure of Cocos Island.* New York 1960, S. 39 ff.

107 *Da sind schon:* Brief August Gisslers vom Dezember 1888

an seinen Bruder Hermann. Aus dem Nachlass, teilweise verwaltet durch Hermann Gisslers Enkel, Dr. Richard Gissler, Jülich.

117 *Kapitän Gissler ist:* New York Times, 20. November 1904.

126 «Der Flaschenkobold»: Eine erste Fassung von *The Bottle Imp* hatte Louis schon im Mai 1889 auf Hawaii geschrieben, eine zweite Ende 1889 unmittelbar nach der Ankunft auf Samoa. Inspiriert worden war er durch das gleichnamige Theaterstück von Richard Brinsley Peake, das 1828 im English Opera House uraufgeführt worden war. Das Theaterstück seinerseits basiert auf einer Erzählung von Hans Jacob Christoph von Grimmelshausen (1622–1676): *Trutz Simplex. Die Lebensbeschreibung der Erzbetrügerin und Landstörzerin Courasche* (1669), Kapitel 18–22.

127 *Das Haus stand:* Robert Louis Stevenson, *The Bottle Imp.* In: *Works,* Band 15, S. 402 f.

128 *... war es ihm:* ibd., S. 395 f.

131 *Gelegentlich kommen Leute: Letters,* Band 8, S. 155.

138 Goldschatz: Vgl. John Martin, *An Account of the Natives of the Tonga Islands in the South Pacific Ocean.* London 1817, Band 2, S. 91. In den folgenden Jahrzehnten suchten immer wieder Abenteurer unter Wasser nach dem Zugang zu einer Höhle, in welcher angeblich der Schatz der *Port au Prince* lag; dies meist ohne die erforderliche polizeiliche Bewilligung, wie sich König Taufa'ahau in seiner Biographie erinnerte, und ohne Rücksicht auf die Tatsache, dass das Gold von Rechtes wegen Eigentum des Königreichs Tonga war.

148 *Diese Leute waren:* Jacob LeMaire, *Mirror of the Australian navigation. The Voyage of Jacob LeMaire and William Schouten, 1615–1616.* Amsterdam 1754. Faksimile Sydney 1999.

155 *fast ebenso viel Zeit:* Graham Balfour, *The Life of Robert Louis Stevenson.* New York 1901, Band 2, S. 123.

156 *Alles läuft wunderbar:* Alle Zitate aus den Briefen Robert Louis Stevensons.

160 *Wenn ich nur:* Christchurch Press, 24. April 1893.

161 *Mag sein, dass:* Lloyd Osbourne, *An Intimate Portrait of Robert Louis Stevenson.* New York 1924, S. 130.

163 *Ich wünschte, ich:* Fanny and Robert Louis Stevenson, *Our Samoan Adventure.* New York 1955, S. 221.

165 *Ich muss dir: Letters,* Band 8, S. 39 ff.

166 *Später. 1 Uhr 30:* ibd.

168 *Ich schätze den:* ibd., Band 7, S. 249.
ganz zu schweigen: ibd., Band 8, S. 30.

169 *Ich will nicht:* ibd., S. 95.
Alles in allem: ibd., S. 39 f.

170 *Donnerstag, 5. April:* ibd., S. 39 f.

171 *Freitag, 7. April:* ibd.

172 Vorkommnisse auf Tafahi: Häuptling Maatu berichtete dies alles 1921 dem US-amerikanischen Ethnologen Edward Winslow Gifford. Eine genaue Datierung ist unmöglich, da die Bewohner Tafahis zur fraglichen Zeit noch keine präzise Zeitmessung kannten. Maatu erinnerte sich immerhin, dass das Geschilderte sich zur Regierungszeit Ngongos, also Ende des 19. Jahrhunderts, zutrug. Vgl. Edward Winslow Gifford, *Tongan Society.* Honolulu 1929, S. 314 f.

178 *Lloyd hatte einige Bedenken:* Fanny Stevenson, *The Cruise of the «Janet Nichol». A Diary by Mrs. Robert Louis Stevenson.* London 1915, S. 2 ff.

188 *einfach so, um:* Graham Balfour, *The Life of Robert Louis Stevenson.* New York 1901, Band 2, S. 179.

190 Das Fragment: Das Fragment ist der Nachwelt erhalten in der Anekdotensammlung von Arthur Johnstone, *Recollections of Robert Louis Stevenson in the Pacific.* London 1905, S. 309.

195 Louis' Tod: Vgl. *Letters,* Band 8, S. 401 ff. Aus Belle Strongs Tagebuch. Zu Stevensons Begräbnis siehe auch Nelson

Eustis, «R. L. Stevenson's Days in Samoa». In: *Aggie Grey of Samoa*. Adelaide, South Australia 1970.

204 Ned Fields Tod: Vgl. New York Times, 22. September 1936.

205 Lloyd Osbournes Tod: Vgl. New York Times, 23. Mai 1947.

Lloyd Osbournes Vorliebe für Mussolini: Vgl. Lloyd Osbourne, *20 Letters to Isobel Field, July–December 1940*. Unveröffentlicht. Bancroft Library, University of California, Berkeley, California.

213 Glaubt man seinen Angaben: Interview in Matangi Tonga, September/Oktober 1987.

214 *meine Braut:* Briefwechsel zwischen Tina Martin und dem Verfasser, September/Oktober 2004.

215 *Ich merkte, dass:* Interview in Matangi Tonga, September/Oktober 1987.

Yillands Posten: Interview in Yillands Posten, Sonntag, 6. Januar 1991.

221 *Ich selbst mag: Letters*, Band 8, S. 104.

Verwendete Literatur

Baarslag, Karl, *Islands of Adventure*. New York 1940.

Balfour, Graham, *The Life of Robert Louis Stevenson*. 2 Bände. New York 1901.

Banfield, M. A., *The Health Biographies of Alexander Leeper, Robert Louis Stevenson and Fanny Stevenson*. Moodbury, South Australia 2001.

Bathurst, Bella, *The Lighthouse Stevensons*. London 1999.

Beer, Karl-Theo, *Samoa – eine Reise in den Tod. Briefe des Obermatrosen Adolph Thamm, S. M. Kanonenboot Eber 1887–1889*. Hamburg 1994.

Bell, Ian: *Dreams of Exile. Robert Louis Stevenson: A Biography*. New York 1992.

Bermann, Richard A., *Home from the Sea. Robert Louis Stevenson in Samoa*. Indianapolis / New York 1939.

Bohn, Robert, *Die Piraten*. München 2003.

Booth, Bradford A., «The Vailima Letters of Robert Louis Stevenson». In: Harvard Library Bulletin, April 1967.

Cairney, John, *The Quest for Robert Louis Stevenson*. Edinburgh 2004.

Calder, Jenni, *RLS. A life study*. Glasgow 1980.

Calder, Jenni, *The Robert Louis Stevenson Companion*. Edinburgh 1980.

Caldwell, Elsie Noble, *Last Witness for Robert Louis Stevenson*. Norman 1960.

Clarke, William E., «Robert Louis Stevenson in Samoa». In: Yale Review, Januar 1921.

Cleator, Philip Ellaby, *Treasure for the Taking*. London 1960.

Colley, Ann C., *Robert Louis Stevenson and the Colonial Imagination*. Hampshire / Burlington 2004.

Colnett, James, *A Voyage Into the South Atlantic and Round Cape Hoorn Into the Pacific Ocean*. London 1798. Faksimile, Amsterdam/New York 1968.

Colvin, Sidney (Hrsg.), *The Letters of Robert Louis Stevenson to his Family and Friends*. New York 1902.

Colvin, Sidney, *Memories and Notes*. London 1921.

Disch-Lauxmann, Peter, *Die authentische Geschichte von Stevensons «Schatzinsel»*. Hamburg 1985.

Eustis, Nelson, «R. L. Stevenson's Days in Samoa». In: *Aggie Grey of Samoa*. Adelaide, South Australia 1970.

Eustis, Nelson, *The King of Tonga. A Biography*. Adelaide 1997.

Field Osbourne Strong, Isobel, *This Life I've Loved*. New York 1937.

Field Osbourne Strong, Isobel, «Vailima Table-Talk. Robert Louis Stevenson in his Home Life». In: Scribner's Magazine. New York, Juni 1896.

Fitzpatrick, Elayne Wareing, *A Quixotic Companionship. Fanny and Robert Louis Stevenson*. Monterey 1997.

Fletcher, Brunsdon, *Stevenson's Germany. The Case Against Germany in the Pacific*. London 1920.

Fraser, Marie, *In Stevenson's Samoa*. London 1895.

Furnas, Joseph C., *Voyage to Windward. The Life of Robert Louis Stevenson*. New York 1951.

Gifford, Edward Winslow, *Tongan Society*. Honolulu 1929.

Gifford, Edward Winslow, *Tongan Myths and Tales*. Honolulu 1924.

Gilson, Richard Phillip, *Samoa 1830–1900. The Politics of a Multi-cultural Community*. Melbourne 1970.

Grift Sanchez, Nellie van de, *The Life of Robert Louis Stevenson*. New York 1920.

Hancock, Ralph; Weston Julian, *The Lost Treasure of Cocos Island*. New York 1960.

Harman, Claire, *Robert Louis Stevenson: A Biography*. London 2004.

Hellman, George S., *The True Stevenson. A Study in Clarification*. Boston 1925.

Hellman, George S., «R.L.S. and the Streetwalker». In: The American Mercury, July 1936.

Issler, Anne Roller, *Happier for his Presence. San Francisco and Robert Louis Stevenson*. Stanford University Press 1940.

Heyerdahl, Thor, *Kon Tiki. Ein Floß treibt über den Pazifik*. Oslo 1948.

Johnstone, Arthur, *Recollections of Robert Louis Stevenson in the Pacific*. London 1905.

Knight, Alanna, *Robert Louis Stevenson Treasury*. London 1985.

LeMaire, Jacob, *Mirror of the Australian Navigation. The Voyage of Jacob LeMaire and William Schouten, 1615–1616*. Amsterdam 1754. Faksimile Sydney 1999.

Lockett, Willem George, *Robert Louis Stevenson at Davos*. London, undatiert.

Mackay, Margaret, *The Violent Friend: The Story of Mrs. Robert Louis Stevenson*. New York 1968.

Martin, John, *An Account of the Natives of the Tonga Islands in the South Pacific Ocean. With an Original Grammar and Vocabulary of their Language. Compiled an Arranged from the Extensive Communications of Mr. William Mariner, Several Years Resident in Those Islands*. 2 Bände, London 1817.

McLynn, Frank, *Robert Louis Stevenson*. London 1993.

Moors, Harry Jay, *With Stevenson in Samoa*. London 1911.

Moors, Harry Jay, *Some Recollections of Early Samoa*. Apia 1986.

Neider, Charles (Hrsg.), Fanny and Robert Louis Stevenson, *Our Samoan Adventure*. New York 1955.

Osbourne, Katherine Durham, *Robert Louis Stevenson in California*. Chicago 1911.

Osbourne, Lloyd, *An Intimate Portrait of Robert Louis Stevenson*. New York 1924.

Osbourne, Lloyd, «Mr. Stevenson's Home Life at Vailima». In: Scribner's Magazine. New York, Oktober 1895.

Osbourne, Lloyd, *20 Briefe an Isobel Field, Juli–Dezember 1940*.

Unveröffentlicht. Bancroft Library, University of California, Berkeley, California.

Pekalkiewicz, Janusz, *Da liegt Gold. Verborgene Schätze in aller Welt.* Stuttgart 1997.

Platt, Cameron; Wright, John, *Treasure Islands. The Fascinating World of Pirates, Buried Treasures and Fortune Hunters.* London 1992.

Riedel, Otto, *Der Kampf um Deutsch Samoa. Erinnerungen eines Hamburger Kaufmanns.* Berlin 1938.

Rutherford, Noel, *Friendly Islands. A History of Tonga.* Melbourne 1977.

Saint-Martin, Vivien de, *Nouveau Dictionnaire de Géographie Universelle.* Paris 1879.

Sibree, James, *Register of L.M.S. Missionaries.* London 1923.

Solf, Wilhelm Heinrich (Hrsg.), *The Cyclopedia of Samoa (Illustrated).* Sydney 1907.

Steuart, John Alexander, *Robert Louis Stevenson. A Critical Biography.* Boston 1924.

Stevenson, Fanny, *The cruise of the «Janet Nichol». A Diary by Mrs. Robert Louis Stevenson.* London 1915.

Stevenson, Robert Louis, *The Works of Robert Louis Stevenson.* Vailima Edition. 26 Bände. London 1922.

Stevenson, Robert Louis, *The letters of Robert Louis Stevenson.* 8 Bände. New Haven and London 1995.

Stevenson, Robert Louis, *Letters and Miscellanies. Correspondence Adressed to Sidney Colvin November 1890 to October 1894.* New York 1904.

Stevenson, Robert Louis, *Letters to Charles Baxter.* New Haven 1956.

Swearingen, Roger G., *The Prose Writings of Robert Louis Stevenson. A Guide.* Hamden, Connecticut 1980.

Terry, Reginald Charles, *Robert Louis Stevenson. Interviews and Recollections.* Iowa 1996.

Theroux, Joseph, «Rediscovering ‹H.J.M›, Samoas ‹Uncon-

querable› Harry Moors». In: Pacific Island Monthly, August
und September 1981.

Weiner, Michael A., *Secrets of Fijian Medicine*. Self-published.
Berkeley ca. 1980.

Watson, Robert Mackenzie: *History of Samoa*. Auckland 1918.

Whitmee, S. J., «Tusitala. R. L. S. – A New Phase». In: The Atlantic Monthly, März 1923.

Wilson, Derek, *The world atlas of treasure*. London 1981.

Woodhead, Richard, *The strange case of R. L. Stevenson*. Edinburgh 2001.

Inhalt

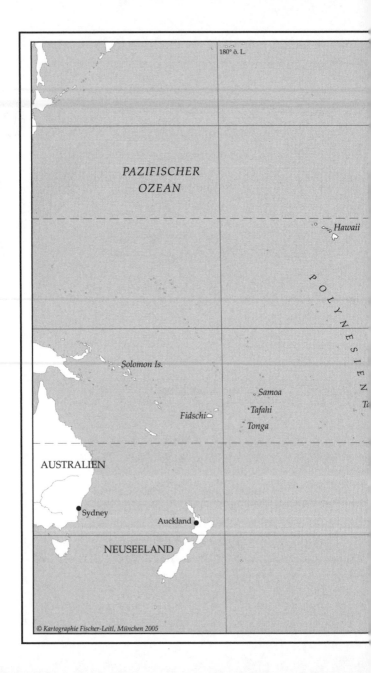

PAZIFISCHER
OZEAN

Hawaii

POLYNESIEN

Solomon Is.

Samoa

Tafahi

Fidschi

Tonga

AUSTRALIEN

Sydney

Auckland

NEUSEELAND

180° ö. L.

© Kartographie Fischer-Leitl, München 2005

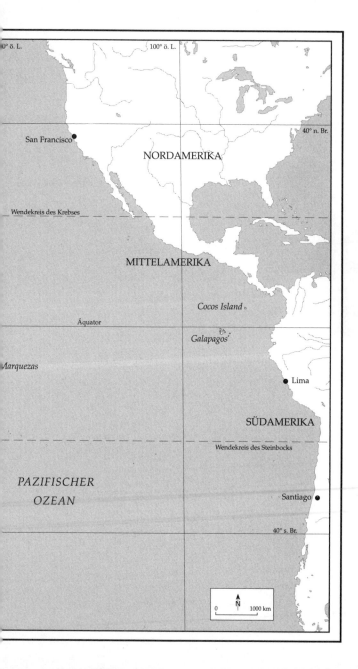

0° ö. L.   100° ö. L.

40° n. Br.

San Francisco

NORDAMERIKA

Wendekreis des Krebses

MITTELAMERIKA

Cocos Island

Äquator

Galapagos

Marquezas

Lima

SÜDAMERIKA

Wendekreis des Steinbocks

PAZIFISCHER
OZEAN

Santiago

40° s. Br.

N
0   1000 km